PÁGINA ANTERIOR

COPACABANA, FINAL DOS ANOS 1950: UMA BELDADE CARIOCA E SUA FILHA PEQUENA, PEGANDO UMA COR NO POSTO SEIS.

JOYCE MORENO

AQUELAS COISAS TODAS
música
encontros
ideias

**Para Zemir,
minha mãe.**

**Tutty Moreno,
meu amor.**

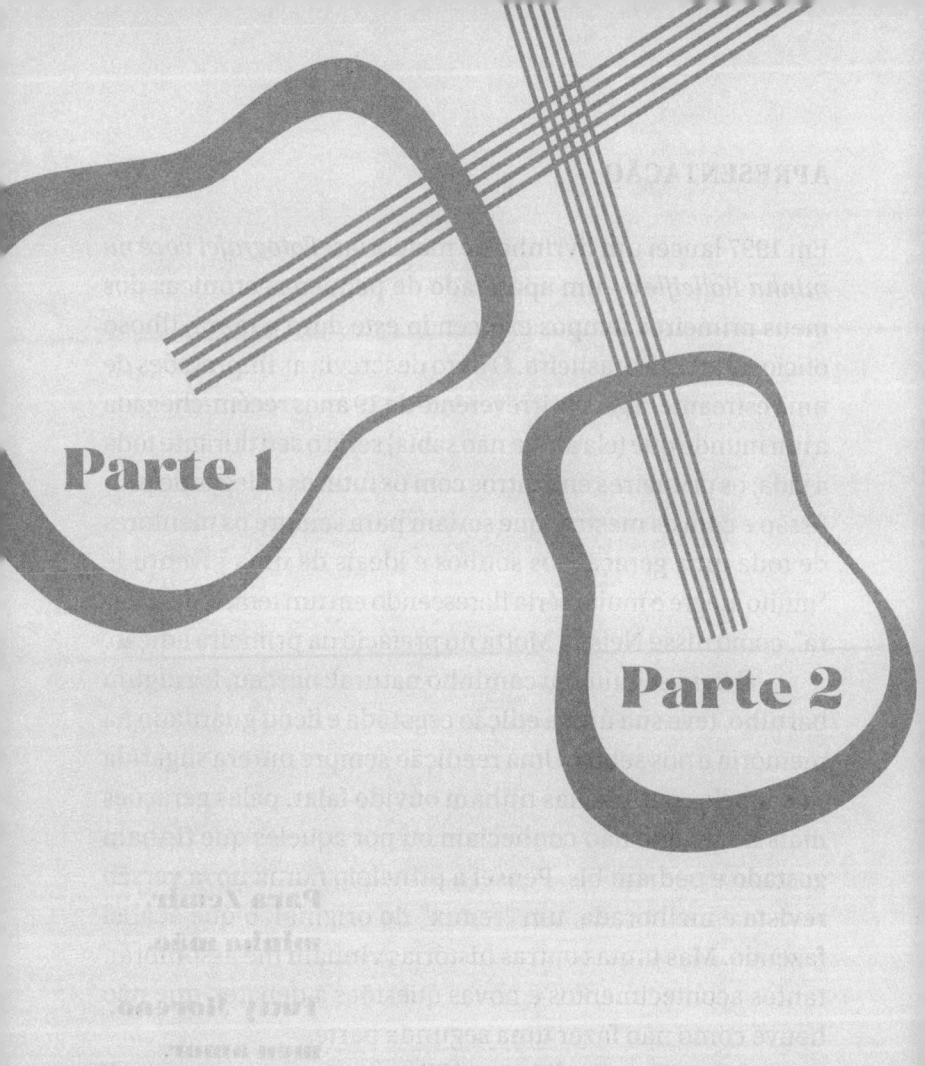

Parte 1

Parte 2

APRESENTAÇÃO

Em 1997 lancei um livrinho de memórias, *Fotografei você na minha Rolleiflex* – um apanhado de pequenas crônicas dos meus primeiros tempos exercendo este duro e maravilhoso ofício de artista brasileira. O livro descrevia as impressões de uma estreante, a garota irreverente de 19 anos recém-chegada a um mundo que (ela ainda não sabia) seria o seu durante toda a vida; os primeiros encontros com os futuros colegas de profissão e com os mestres que seriam para sempre os mentores de toda uma geração; os sonhos e ideais de uma juventude "muito alegre e muito séria florescendo em um tempo de guerra", como disse Nelson Motta no prefácio da primeira edição.

    O livro seguiu seu caminho natural: nasceu, fez algum barulho, teve sua única edição esgotada e ficou guardado na memória e nos sebos. Uma reedição sempre me era sugerida por aqueles que apenas tinham ouvido falar, pelas gerações mais novas que não conheciam ou por aqueles que tinham gostado e pediam bis. Pensei a princípio numa nova versão revista e melhorada, um "remix" do original, o que acabei fazendo. Mas tantas outras histórias vinham me assombrar, tantos acontecimentos e novas questões a debater, que não houve como não fazer uma segunda parte.

    Como sempre digo, a MPB tem resposta pra tudo. E foi essa ideia que inspirou a segunda parte do livro, "Tudo é uma canção". As duas partes se completam assim num só livro, *Aquelas coisas todas*. Aquelas coisas tantas, tantos anos passados e um longo caminho ainda a percorrer.

Parte 1

FOTOGRAFEI VOCÊ NA MINHA ROLLEIFLEX (remix)

- 15 | Prefácio 1997
- 17 | Biografia
- 20 | Jornal
- 26 | Praia
- 30 | A era
- 35 | Bonita
- 40 | Hermínio
- 42 | Ingênuo
- 45 | Jards
- 48 | Saias
- 52 | Passeata
- 56 | Pesquisa
- 61 | Experiências
- 67 | Bicicletas
- 70 | Casamento
- 75 | Rio – Bahia
- 77 | O homem
- 80 | Sucesso
- 85 | Tropicália
- 90 | Verdadeiro
- 92 | Flashes
- 97 | Sabiá
- 100 | Conversão
- 104 | Cuba
- 109 | Perfeição
- 112 | Outros flashes
- 117 | Turnê
- 121 | Futebol
- 127 | Canárias
- 133 | Últimos flashes
- 140 | Um medo
- 145 | Climatério
- 148 | Diário da mulher invisível

Parte 2

TUDO É UMA CANÇÃO

171 | PARECIA UM ESTRANHO FESTIVAL
171 | Concursos
175 | Festa!
179 | *Le Bruit Des Vagues*
181 | Concursos, parte 2
186 | Independência ou morte (a vida sem gravadora)

195 | A VIDA TEM SEMPRE RAZÃO
193 | Família
201 | Velhos flashes
206 | A vida tem sempre razão?
209 | Coração civil
213 | Testemunha ocular da história
216 | À francesa

218 | INFLUÊNCIA DO JAZZ
218 | Sonho americano, parte 1: Claus Ogerman
224 | Sonho americano, parte 2: gravando na Verve
227 | Living the Jazz Life
228 | Jon Hendricks
232 | Gerry Mulligan
235 | Michel Petrucciani
238 | Gil Evans (Eu sou neguinha?)
242 | Johnny Mandel
245 | Jazz na Dinamarca

249 | A MPB TEM RESPOSTA PRA TUDO
249 | A MPB tem resposta pra tudo
251 | Alguém cantando

253 | Mas como é que vive o compositor?
258 | Aqueles que velam pela alegria do mundo
262 | Da cor brasileira (um Jobim na África)
267 | Arranjo e orquestração
270 | Tenho feito força pra viver honestamente
272 | A minha música

275 | REVENDO AMIGOS
275 | Gonzaguinha
278 | Rodrix
282 | Sivuca
285 | Johnny é um gênio
289 | Tenório Jr.
292 | Meu Panamá
294 | O rei e eu
298 | Henri Salvador
301 | Pois é... (fica o dito e redito por não dito)
306 | Sílvia
309 | Betinho
311 | Brant
312 | Novos velhos flashes

315 | MEIO A MEIO
315 | Fundamental é mesmo o amor
318 | Hemingway
320 | Meio a meio

322 | FEMININA, MENINA
322 | Eu sou apenas uma mulher
326 | Ô Mãe!
331 | Como diz Leila Diniz
333 | Deixa a menina em paz
337 | Namorados
340 | Palco é zona erógena
344 | A velha maluca é doida

349 | **Tudo**
350 | Agradecimentos

Parte 1

FOTOGRAFEI VOCÊ NA MINHA ROLLEIFLEX (remix)

Primeiro e privilegiadíssimo leitor dos originais deste livro, posso garantir que Joyce é tão boa de escrevinhação quanto nas artes de compor e cantar e dedilhar um violão. Ela, que já mostrou com quantas notas no pentagrama se faz uma boa canção, agora sai da toca para mostrar suas mumunhas literárias, e mostrar com quantos paus se faz uma canoa, ou seja, com quantas laudas se conta uma boa história.

HERMÍNIO BELLO DE CARVALHO, 1997

Parte 1

FOTOGRAFE VOCÊ NA MINHA ROLLEIFLEX (remix)

É um privilégio fazer parte desta geração de Chico e Caetano e Gil e Milton e Edu e Elis e Gal e Bethania e Torquato Neto e outros orgulhos da cultura brasileira. Privilegiada é Joyce, a cantora, a compositora e agora cronista desses tempos e artistas que transformaram anos de chumbo em ouro puro. No bom sentido.

Outro privilégio é ter convivido tão de perto com Vinicius de Moraes, como Joyce, que testemunha agora com humor, finesse e simpatia, suas aventuras alegres, emocionantes e hilariantes ao lado dele e de outras estrelas-guias da música brasileira e internacional. Como Tom e João Gilberto.

Com as crônicas de Joyce, uma observadora atenta e sensível, pode-se viver (de novo) aquelas noites cariocas cheias de música e sonho, aquelas tardes quentes de sexo, drogas e MPB, pode-se reviver uma juventude muito alegre e muito séria florescendo em um tempo de guerra. Trinta anos de praia, política e música. Através de sua trajetória, revê-se o caminho de uma jovem bonita e talentosa de Copacabana dos anos 1960 vivendo seu sonho de artista, as ilusões e decepções de uma geração, suas grandes alegrias e conquistas, narradas com sinceridade e estilo.

NELSON MOTTA
NOVA YORK, SETEMBRO DE 1997

... not as they were, but as they appear to me
GEOFF DYER, *But Beautiful*

Fotografei você na minha Rolleiflex
TOM JOBIM / NEWTON MENDONÇA

BIOGRAFIA

Aos 13 meses, o primeiro carnaval. Foto de uma havaiana gorda e careca, de topless e saia comprida de ráfia, segurando um objeto que parece ser uma caixa de fósforos (quem terá sido o maluco que deixou uma caixa de fósforos na mão de um bebê?), chorando, com uma flor imensa amarrada na cabeça – ia dizer no cabelo, mas tal não havia ainda. O ano é 1949. Aí começa esta biografia.

Primeiras letras aos 5 anos, primeiro poema aos 6. Primeira comunhão aos 8, primeiro corte de cabelo aos 9. Primeira valsa aos 14, primeiro rock aos 12. Aos 12 também o primeiro sutiã, a primeira menstruação, o primeiro sapato de saltinho. E a primeira espinha, provavelmente. Há controvérsias sobre o primeiro namorado. Mas o primeiro beijo, definitivamente aos 13.

Primeira música aos 14, primeiro violão aos 15. Primeiro cigarro aos 14, primeiro baseado aos 21. O primeiro porre, que foi também o último, aos 20. Primeira viagem ao exterior aos 15, e isso tem tudo a ver com o início deste parágrafo, já que esta viagem se inicia pela Espanha e é lá que é comprado o famoso primeiro violão. Um instrumento pequeno, "de moça", sem nome nem marca, achado numa pequena loja em Burgos, cidadezinha de interior. Paixão à primeira vista, o som acústico, cheio, apesar do tamanho. Um primeiro instrumento que desapareceria, anos depois, em circunstâncias misteriosas. Mas que já fora, àquela altura, substituído pelo segundo violão, que o superava em tudo, e que continua até hoje funcionando, apesar da concorrência – japoneses, uruguaios, americanos de última geração, troféus de outras viagens (primeira viagem aos Estados Unidos aos 29, primeira ida ao Japão aos 37, e assim por diante).

Primeiro casamento aos 22. Primeira transa aos 17: "agora você é só minha", a frase fatal. Adeus, otário. O primeiro amor passou, o segundo amor passou, o terceiro amor passou, mas o coração continua. Amor à primeira vista, amor de primeira mão. Primeiro livro de Drummond aos 16, primeiro disco de João Gilberto aos 13. Primeiro grande amor aos 29. Primeiro parto aos 23. Primeiro neto aos 44. Calma, calma, estamos indo muito depressa. Primeira gravação aos 15. Primeiro LP aos 20, primeiro CD aos 39. Quem mandou a evolução tecnológica demorar tanto? Primeiro computador aos 46, e quem dera tivesse sido antes, muito antes. Meu reino não é deste mundo.

Primeiro vestibular aos 18. O primeiro voto também, numa eleição chinfrim para deputado. Coisa mais sem graça, falta absoluta de opção. Muitos anos se passariam até que fosse possível votar decentemente. Até então, eu finjo que votei e você finge que se elegeu: fingimos estar numa democracia. Ela finge que me ama, e eu finjo que acredito. Este é um país que vai pra frente. Eu te amo, meu Brasil, abre a cortina do passado.

Primeira decepção aos 7. Primeira mentira, também. Primeira grande perda aos 18, meu primeiro contato com a morte: carnaval de 1966, passei no vestibular, Angela morreu, eu estou viva, estou viva, estou viva. Sonia está ao meu lado no enterro, Stuart me espera na saída do cemitério, eles ainda não sabem, mas vão se conhecer, vão se amar e vão morrer de morte pavorosa pouquíssimos anos depois.

Primeira premonição aos 10. Primeira separação aos 26. Primeiro gato aos 28, primeiro cachorro aos 30. Primeiro carro aos 35. Primeiro grande sucesso aos 32. Primeiro imóvel adquirido aos 34. Primeira declaração de amor aos 12. Primeira declaração de renda aos 25. Primeiro palco aos 19. Este é meu primeiro livro. ∼

JORNAL

Era assim: pegava-se um ônibus lotado, Copacabana-Castelo, via Aterro, geralmente viajando em pé, tanto na ida como na volta; descia-se na altura da rua Sete de Setembro, dali se caminhava até o velho prédio da avenida Rio Branco, de elevadores pré-históricos, atravessava-se alguns corredores e finalmente chegava-se à redação, uma sala enorme coberta de mesas e pranchetas e máquinas de escrever – objetos hoje obsoletos – onde você podia, pelo módico preço de uma passagem de ônibus, ganhar o direito de trabalhar como um burrinho de carga e aprender com os mestres. Pois exatamente isso é o que você era: um burrinho, uma burrinha estagiária de jornalismo.

Aos dezenove anos, estudando jornalismo na PUC, consegui por mérito próprio descolar este privilégio, no lugar que era o sonho de dez entre dez colegas meus de faculdade – o caderno B do *Jornal do Brasil*. A questão do mérito próprio era importantíssima: eu já tivera a fugaz experiência de ser indicada pelo parente de um parente para estagiar em outro jornal importante, e não fora exatamente bem recebida. Fiquei menos de uma semana, incomodada com a situação, até que tomei coragem e saí para não mais voltar, apesar dos protestos familiares. Agora, jurei para mim mesma, vou conseguir sozinha. Preparei para tanto uma estratégia de guerra, aparentemente maluca, mas que funcionara. Estava acontecendo um concurso para escolher alguma coisa tipo Garota JB, musa de verão, ou algo parecido. Eu não tinha a mínima dúvida de que não me encaixava no perfil, mas sabia que as entrevistas das candidatas eram realizadas na redação do D – o caderno feminino que saía aos domingos e que funcionava junto com o B. Fui me inscrever, fiz amizade com diversas pessoas, a começar pelo fotógrafo que me clicou – que sorte! – o genial Evandro Teixeira. Na entrevista, fiz questão de deixar bem claros meus objetivos. O concurso foi vencido, curiosamente, por uma colega minha de sala, bastante bonita, com mais vocação para modelo do que para jornalista. E eu consegui exatamente o que queria. Em menos de um mês, fui chamada.

Nos primeiros dias, rodei por vários departamentos: o de pesquisa (chefiado por Fernando Gabeira), de reportagem geral e até de polícia – minha mãe não acreditou no que via, quando cheguei uma noite em casa trazendo um brinde ganho numa delegacia – dois quilos de carne de primeira que o repórter policial havia recebido de presente, sabe Deus por que motivo, e tivera a galanteria de dividir comigo. Mas logo, logo, fui convocada para o que realmente interessava: Gilda Chataignier, que dirigia o D, e Paulo Afonso Grisolli, do B, tinham trabalho pra mim.

Não acreditei na minha boa sorte, e, segundo me dei conta mais tarde, nem eles. Dois estagiários foram dispensados, e em seus lugares entrou uma garota malcriada, capaz de se virar em cinco idiomas, com redação bastante razoável e louca pra mostrar serviço. No primeiro dia, fui vítima de uma cruel brincadeira – pelo que me disseram depois, um rito de passagem comum a todo novato. Grisolli estava preparando uma matéria sobre uma artista plástica, mãe de uma cantora que eu conhecia – pois, paralelamente, eu já estava me iniciando no meu futuro métier. Me chamou de lado e pediu que eu lhe conseguisse o telefone de minha amiga. Desprevenida no momento, disse a ele que precisaria dar alguns telefonemas. "Não", disse Grisolli, "não precisa perder tempo com isso. Vá ali até aquela moça" – e apontou para uma brilhante jornalista que eu admirava de longe – "e peça a ela o número, ela é amiga de sua amiga também".

Inocentemente, fui, e levei uma solene descompostura: mal sabia eu que o novo amor da cantora era o ex-amor da jornalista. Grisolli ria pelos cantos, o sacana. Fiquei passada e sem graça, mas a maior vítima não tinha sido eu, e sim a namorada dispensada. Uma maldosa brincadeira com o sentimento alheio.

Não demorou muito, e eu já fazia de tudo um pouco. Entrevistas, traduções, matérias de emergência e até copidesque, num dia em que meus chefes precisaram sair antes da hora. Faculdade pela manhã, jornal à tarde, música à noite, minha paixão verdadeira, onde eu aos poucos encontrava o sentido de minha presença na Terra. Vinte e quatro horas era muito pouco para tudo o que eu tinha a fazer. Começava a ficar difícil.

Ainda assim, havia no jornal momentos de pura diversão. Como na tarde em que fui encarregada de entrevistar o pintor Augusto Rodrigues, em sua casa no Largo do Boticário, e acabei mostrando algumas músicas minhas para ele, que ficou animadíssimo – "espere aí, que eu vou telefonar para Marília Batista, ela precisa ouvir isso!" – e fez com que eu dispensasse o carro do jornal para ficar mais um pouco. Me contou histórias sobre Dolores Duran, me fez cantar para Marília pelo telefone, me fez atrasar a entrega da matéria e levar minha primeira bronca. Não me arrependi. Já contava com a cumplicidade de algumas pessoas na redação, a começar por Nelsinho Motta que, embora já profissional, vivia os mesmos conflitos que eu, entre o jornalismo e a música; ou Nilcéa Nogueira, grande amiga, repórter experiente e pessoa adorável; ou ainda, muito especialmente, Lan.

A prancheta de Lan ficava exatamente ao lado de minha mesa, de modo que eu podia olhar por cima do ombro dele as charges políticas que nasciam ali mesmo, meter a colher, dar opinião. Fizemos uma bela amizade, absolutamente platônica, é bom que se diga, pois ele era casadíssimo e muito mais velho do que eu. Mas éramos ambos portelenses ferrenhos, e dali a algum tempo eu já não precisava mais voltar em pé no ônibus lotado, ganhava sempre uma carona do meu amigo, que ia de táxi para Copacabana e às vezes me convidava para um sorvete na confeitaria Colombo. Quando me classifiquei para o Festival da Canção, ele publicou uma charge genial, onde eu aparecia, bendita fruta entre os rapazes concorrentes, cercada por meus novos amigos: Nelsinho, Dori, Edu, Milton. Inconscientemente, uma premonição de meus futuros problemas.

Era justamente por ali que ia se complicando minha vida. Eu não dava mais conta de tudo aquilo, e a promessa de uma brilhante carreira jornalística começava a desmoronar. Minha amiga Nilcéa me aconselhava – de início, entusiasmada, me dava ciência de que rolavam boatos na redação de que eu seria efetivada; mais tarde, os boatos eram de que eu seria dispensada e trocada por alguém mais responsável. "Você precisa resolver o que você quer", ela me dizia, séria, para depois emendar, brincando: "você está a fim de entrevistar ou de ser entrevistada?"

A gota d'água que entornaria o copo viria logo em seguida, decidindo por mim. Fui encarregada de entrevistar duas modelos inglesas, participantes de um evento *fashion*. Elas me esperaram durante horas no hotel, até que telefonaram, enfurecidas, para a redação. Quando cheguei, Gilda me esperava, ela também furiosa e cheia de razão. Àquela altura, não havia mais tempo para cobrir minha ausência com outro repórter, e a matéria estava perdida. Tentei inventar uma desculpa, mas não colou: eu estava completamente aérea e esquecera mesmo meu compromisso. Talvez porque tivesse outro, para mim mais importante: naquela tarde, eu simplesmente assinara meu primeiro contrato com uma gravadora.

Esvaziei minha gaveta no ato e fui ao encontro do meu destino, como um cowboy solitário saindo da cidade depois do último duelo, tentando manter a dignidade apesar do sentimento de culpa. No dia seguinte mesmo o jornal já se apagara de minha mente e caíra em algum buraco nebuloso do passado. Dezenove anos na cara, pontes e navios incendiados, sem olhar para trás. ~

PRAIA

Ó céus, ó vida... ou, como na canção de Ary Barroso, ó Deus, como eu sou infeliz! Assim cantava um amigo meu, se espreguiçando ao sol da tarde, em dia de praia. O mundo inteiro se acabando e ele lá, feito uma lagarta naquele sol esplendoroso. Não posso criticá-lo, é lógico: quantas e quantas vezes não fiz a mesma coisa? Às vezes nos piores momentos da vida, sem grana nem perspectiva, sem lenço e sem documento, lá estávamos nós, todos nós, aquele bando de vagabundos (eufemismo para artistas) torrando sob infernais verões. Coisa de carioca, diriam meus amigos paulistas, que nem quando vêm ao Rio conseguem relaxar. Talvez tenham razão, nem só de artistas vive a praia no Rio de Janeiro.

Minha mãe, por exemplo, trabalhadora exemplar, funcionária pública de grandes méritos, tendo subido na vida por esforço próprio, quando isso já começava a deixar de ser moda – se é que algum dia foi –, aquela seríssima senhora não dispensava um bronze, nem mesmo durante os trinta e oito anos em que labutou no Ministério da Fazenda. Sempre dava um jeitinho, nos finais de semana, de não perder a cor que conservou como um troféu pela vida afora e que, bem ou mal, ainda guardou em noventa anos de praia. Quando me mudei pela primeira vez para um bairro um pouco menos litorâneo, sua reação inicial foi negativa: "não sei não, minha filha, é muito contramão, muito longe..." Tratava-se, não de Belfort Roxo ou do Encantado, mas do vizinho Jardim Botânico. Impossível convencê-la: se não dava para chegar na praia a pé, é porque não prestava.

Minha praia de infância era o Posto Seis, em Copacabana, com seus barcos e pescadores, seu mar de águas calmas, seus aposentados jogando peteca. Mais tarde, na adolescência, passei a frequentar Ipanema, mais exatamente o trecho em frente à então rua Montenegro (atual rua Vinicius de Moraes), hoje conhecido como Posto Nove. Era, já naquela época, a praia dos artistas. De início, a gente ficava por ali, só olhando. Depois, aos poucos, começamos a fazer parte. Não havia ainda músicos naquela praia quando chegamos, apenas jornalistas e gente de teatro e cinema, basicamente o pessoal – já veterano – do *Pasquim* e do Cinema Novo. De modo que talvez me falhe a memória, mas acho que nossa turma inaugurou o pedaço para a música.

No princípio, eram os cariocas. Pouco a pouco foi chegando gente de outras paragens. Os baianos, por exemplo, não tiveram o menor problema de adaptação, uma vez que já eram do ramo. Ficaram tão à vontade que alguém, muitos anos depois, inventou de chamar o trecho das obras do emissário submarino de "dunas da Gal". Na época, a rapaziada se referia àquele local simplesmente como o pier. Não que Gal não frequentasse, pelo contrário, era *habituée*. Ela e toda uma legião de cabeludos, usando minimíssimas sungas, baianos falsos ou de verdade. As moças não se depilavam e apareciam ao natural, pelos ao vento. Pulseiras e colares de contas, sandálias de couro cru do Mercado Modelo, henna no cabelo, um odor inconfundível de maconha no ar. Tempos de desbunde – proibido proibir, pois as proibições já eram tantas.

Mais ou menos na mesma época, a chegada dos mineiros à nossa praia teve lances cômicos. Eram o oposto dos baianos, faltava-lhes o necessário traquejo para frequentar um ambiente tão liberado. Milton Nascimento, o popular Bituca, e seus seguidores faziam parte daquela rapaziada que gostava de se espojar pelas dunas, numa grande festa à milanesa. Nem todos sabiam nadar e encaravam o mar com reverência e algum temor. Havia um tanto de ingenuidade também: o pobre Toninho Horta passou seus primeiros meses no Rio sem pôr os pés na areia, por não possuir a carteira de saúde indispensável para a frequência, conforme lhe fora informado por um amigo carioca (grande sacana!). De qualquer forma, não levou muito tempo até que os mineiros também se tornassem locais, assim como nordestinos, gaúchos, et cetera. Coisas do Rio de Janeiro, o pessoal chega e vai ficando, ficando, ficando, magnetizado pela paisagem, até criar raízes.

Na verdade, uma das grandes vantagens da praia era exatamente este ecumenismo, esta possibilidade de exercitar a convivência democrática. No caso da música brasileira, não seria de outra forma. Você podia até ter diferenças inconciliáveis com seu colega. Mas de tanto encontrar o inimigo, seminu e indefeso, diariamente na areia, acabava-se criando, sei lá, uma certa intimidade, um relacionamento, uma cordial simpatia. De modo que algumas parcerias e amizades aparentemente inusitadas foram acontecendo, e não demorou muito para que todos estes grupos finalmente se misturassem num só. A esta farofa estético-balneária deu-se o nome de MPB.

Aos poucos, ao longo da vida, a gente vai conhecendo pessoas de outras praias. Aquele meu amigo que não vai porque tem nervoso de areia – "sei lá, é a consistência, entende?" O outro que teve um sonho que dizia que ia morrer no mar. A morena que quer ficar branca, e inclusive só se veste de preto, para dar contraste. Os que ostentam com orgulho aquela indefinível cor chamada verde-músico. Os trabalhadores do Brasil. Paulistas, gringos e além. E outros ainda, aqueles normais, para quem a praia deixou de ser uma obrigação diária – para alguns, inclusive, virou uma chateação, água poluída, areia pouca, gente demais. Polícia, apito, arrastão, onde outrora eram as dunas. Aqueles carros de som berrando em nossos ouvidos. Saudades da Guanabara. ～

A ERA

Os imperadores japoneses sempre tiveram o costume de dar nomes a seus reinados como uma referência no tempo para o país. Assim, um cidadão japonês nascido, digamos, em 1945, sob o impacto da bomba de Hiroshima, poderá dizer que nasceu na Era de Showa, que significa, ironicamente, iluminação e paz. Foi assim que o imperador Hiroíto denominou oficialmente a sua época.

Vinicius de Moraes, que nasceu na Gávea e não tinha nada de oriental, também dividiu em eras sua tumultuada vida. Pelo menos na visão dos amigos, que se referiam a ele no tempo, sempre relacionado, não com um imperador, mas com as diversas imperatrizes que sobre ele exerceram reinado. A República Velha da vida de Vinicius é o tempo de sua juventude, de rapaz solteiro, época longínqua, pré-histórica. Depois da primeira era, a Era de Tati, até o final de seus dias, ele foi sempre o mais casado, ou casável, dos seres. Um homem que amava as mulheres, mas sobretudo um grande fã do casamento em si mesmo.

Conheci Vinicius na Era de Nelita. Escutei muitas histórias sobre como fora ele nas Eras anteriores (Tati, Lila, Lucinha – esta última tida como um seu grande amor por alguns amigos, do que duvido um pouco: acho que todos os amores dele foram sempre grandes). Nunca pude apurar grande coisa sobre suas vidas de antes. Mas sei que na Era de Nelita ele era jovem, muito mais do que fariam supor sua idade e sua aparência. Era alegre e amável, como o Rio de Janeiro daqueles tempos. Tinha uma grande energia, dentro daquilo que se pudesse considerar um parâmetro de energia para alguém como ele. Era capaz, por exemplo, de se internar numa clínica para um tratamento de desintoxicação alcoólica, levar os amigos junto e continuar a festa lá dentro, com médico e tudo. Recebia gente em casa a qualquer hora, numa hospitalidade sem limites. Morava numa cobertura e desejava o mesmo para cada ser humano, pois, dizia, "um homem numa cobertura é como um capitão no convés de seu navio". Flertava muito, mas se proclamava fiel. Era bom e generoso, assim o conheci, promovendo amizades e parcerias, como um Cupido musical. No dia mesmo em que nos conhecemos, me adotou imediatamente como cúmplice. Já na primeira semana, me fez ir com ele a Nova Iguaçu, acompanhá-lo num encontro com normalistas a que se comprometera em comparecer. Tive que inventar canções que não sabia, e depois da palestra e do show improvisado, ir com ele a um almoço, onde uma soprano de bigodes cantava a "Serenata do Adeus". As estudantes o presentearam com uma caneta, que ele repassou para mim. Perdi não sei onde este primeiro presente que ele me ofereceu.

Na Era de Christina, ele não me parecia tão feliz – não por culpa da imperatriz, evidentemente. Nos encontramos em Lisboa, onde ele práticamente se exilara, e onde eu estava fazendo uma série de shows com Edu Lobo. Vinicius estava deprimido com a situação do Brasil, com o AI-5, com sua demissão do Itamaraty, pois, bem no fundo, ele se orgulhava de sua condição de diplomata, apesar de já viver como poeta. A Era de Christina foi relativamente curta e acabou numa briga violenta em que ela, grávida, o acertou com um castiçal, ao tomar ciência de um apronte dele. Anos mais tarde ele ainda contaria esta história com indisfarçado orgulho: "essa mulher quis me matar, porque me amava". A imagem que tenho dele nesta fase me remete a um restaurante lisboeta, Vinicius comendo sozinho seis lagostins, a cara vermelha, suada. Não podíamos contar para ninguém no Brasil que ele já tinha sintomas de diabetes. Imagina só se ele ia fazer dieta e deixar de beber!

Perdi Vinicius de vista na Era de Gesse. Foi quando ele se mudou para a Bahia e se tornou hippie. Esta foi uma era bastante controversa, da qual nada posso dizer, porque não estive lá. Mas nos reencontramos num réveillon onde ele estava sem ela, no meio de um bando de amigos, e me chamou para trabalhar com ele. Durante os ensaios para esta temporada dava para ver que ele já se despedia de mais um reinado – embora, aparentemente, a imperatriz não estivesse percebendo.

Acabei, involuntariamente, participando do surgimento da Era de Marta. Mais uma vez na posição de guardiã de um segredo seu, desta vez, bem mais sério do que um simples jantar à portuguesa. Acompanhei o romance de perto, como testemunha e confidente dos dois, e ainda tive que passar por namorada do meu amigo em Buenos Aires, para que a família de sua amada não desconfiasse do que estava se passando. Ela tinha 23 anos, era argentina, poeta e estudante de Direito. Era linda e estava apaixonada por ele. Viajou conosco para a Europa, e algum tempo foi preciso até que assumissem de vez o casamento, quando finalmente ela foi morar com ele na casinha da Gávea.

O tempo era o maior inimigo de Vinicius na Era de Marta. A diferença de idade entre os dois fazia com que ele se desse conta, cada vez mais, da finitude da própria vida, de modo que, quando perdia um amigo, entrava numa depressão sem fim. Cometi, por isso, uma grande gafe, ao lhe contar, inadvertidamente, sobre a morte de um de seus amigos mais queridos, fato que a família cuidadosamente lhe escondera. Uma noite, levamos Vinicius e Marta a uma festa junina na casa de Maurício Tapajós, em Jacarepaguá. Ele estava se divertindo muitíssimo, pois além de tudo acabara de rever o pai do anfitrião, Paulo Tapajós, que fora seu primeiro parceiro. Mostrei a ele um poema de Mário Quintana que eu musicara e gravara na Itália. Meu problema era como entrar em contato com o poeta para que ele autorizasse a gravação. Vinicius me tranquilizava, "não se preocupe, a gente fala com o Érico Veríssimo, e ele manda a fita para o Quintana". "Mas Vinicius", eu disse, sem pensar, "o Érico morreu já faz um tempo". Pronto, a noite acabou ali. Vinicius ficou arrasado e tivemos de levá-lo para casa na mesma hora. Ainda tive que ouvir uma bronca, muito justa, de Lygia, irmã dele. Quem me mandou falar demais? Felizmente, ele telefonou no outro dia, já refeito e me perdoando.

Não cheguei a ver de perto o fim da Era de Marta, nem acompanhei a Era de Gilda. Desta vez, era eu quem estava longe, vivendo a minha própria era, com as bênçãos do meu amigo: "vai nessa, que você arranjou um homenzinho porreta!" Segui seu conselho. Assim, não nos despedimos quando ele partiu de vez. Mas ainda penso sempre naquele meu poeta porralouca, e imagino que ele estará, em algum lugar, vivendo a sua Era de Showa – iluminação e paz. ~

BONITA

Durante vários anos de minha vida acreditei que era bonita. Na primeira infância, havia todo um coletivo de parentes, amigos e conhecidos de minha mãe, prontos para fazer o elogio: "como a sua filhinha é linda!" Tudo bem, nem sempre diziam assim, "linda", diziam "que gracinha", "que bonitinha", coisas desse tipo. Em casa, meus irmãos mais velhos, adolescentes, se encarregavam de desfazer qualquer ilusão – meu apelido familiar era "jaburu" – mas, a bem da verdade, eu não ligava a mínima. Era pura implicância deles, garotos chatos, espíritos de porco, é claro que eu era bonita, pois não era essa a voz corrente?

E ser bonita dava trabalho, e doía muito. A cada festa que aparecia, eu era obrigada a usar horrendos vestidos de organdi, armados e cheios de anáguas (não esquecer que estamos falando dos anos 1950), que pinicavam meu corpo todo, "espetavam", como eu gemia na época. O cabelo era outra tortura: minha mãe me fazia conservá-lo comprido até a cintura, e diariamente me fazia longas tranças antes de me mandar para o colégio. Diz a lenda que meus gritos eram ouvidos no prédio todo. Aos nove anos, conquistei minha independência: consegui cortar os cabelos *à la garçonne* – melhor dizendo, em forma de cuia. Ganhei na escola o apelido de "Diacuí". Isso foi pouco depois de eu ter descoberto que não era bonita.

Essa terrível descoberta se deu justamente numa festa escolar de fim de ano. Uma das meninas mais feias da turma estava na festa com seus pais, quando uma parenta se aproximou e disse a célebre frase: "mas como sua filhinha é linda!" Compreendi naquele momento que havia sido enganada durante todos aqueles anos. A suposta admiração não passava de frase feita, dita por polidez no convívio social. Mas não fiquei arrasada, pois já tinha um consolo: ao menos, eu era inteligente. Mais: era brilhante, e isso não me tinha sido dito por ninguém, estava escrito nos meus boletins, nas minhas notas, nas medalhas que eu conquistava sem o mínimo esforço. Tudo bem se eu não era das dez crianças mais populares da escola. Era solitária, brincava sozinha e lia tudo que me caísse nas mãos. Mas apesar disso, ou por isso mesmo, meu rendimento escolar parecia crescer e crescer, sem que eu fizesse nada a respeito.

Esta situação se prolongou durante os anos que se seguiram. Na adolescência uma timidez tremenda me perseguia, acrescida da minha total incapacidade em lidar com assuntos ligados à estética. Eu nunca sabia o que vestir, como me pentear, estava sempre milênios atrás da última moda, era motivo de risada das outras meninas. Estranhamente, isso não parecia incomodar muito os rapazes, e eu fazia um sucesso, para mim incompreensível, com o sexo oposto. Nunca entendi porque: eu era meio gordinha, mal-vestida, tinha espinhas, peito grande, buço – e ainda por cima, era o que hoje chamariam de nerd. Os olhos eram verdes, ponto pra mim. E daí? De qualquer forma, aprendi a lidar com essa estranha situação, e cheguei a colecionar namorados vários e simultâneos, como uma Jezebel adolescente, ligeiramente acima do peso.

A música veio me tirar do limbo, como num passe de mágica. De repente, eu tinha amigos que falavam a mesma língua, tinham os mesmos interesses, os mesmos sonhos. Todo o mundo fazia música, escrevia letras, tocava um instrumento – era o céu. Me inscrevi no Festival da Canção e fui classificada. Tinha dezenove anos.

O que aconteceu naquele palco não interessa agora. O que aqui importa é que fui dormir feia e acordei bonita – de acordo com os jornais do dia. Uma revista chegou a me definir como "agressiva beleza morena de amazona selvagem" – uau! Daí para a frente, todas as vezes que se referia a mim, a imprensa acrescentava adjetivos tipo "a bela", até mesmo "a belíssima". Eu já tinha passado por isso antes, de modo que dessa vez não iria me deixar enganar. Além do mais, a aceitação deste jogo implicava em algo mais: a bela tem que ser também uma burrinha, deixar-se manipular, ou fingir que deixa. Passei, pois, um bom tempo fugindo da imagem. De qualquer forma, em casa eu continuava sendo o jaburu.

Lembro de uma certa noite nos anos 1970, no Luna Bar. Eu fazia parte de uma mesa onde pontificavam Tom Jobim e Carlinhos de Oliveira. Além de mim, alguns amigos dos dois e uma linda atriz, então em voga na TV. Tom, galante, volteava em torno da dama, como um beija-flor cheio de sutilezas. Carlinhos, sempre cinco uísques à frente da humanidade, de vez em quando olhava para ela e dizia, trêbado de emoção: "mas que mulher bonita!" E era a pura verdade. De repente o maestro, empolgado, começa a recitar um poema: haverá coisa mais viúva que a saudade possuir olhos de chuva... "De quem é?" "De quem não é?" perguntavam todos. Silêncio geral. "Cassiano Ricardo" – era minha voz, timidamente, falando. Carlinhos olhou para mim pela primeira vez naquela noite e exclamou: "mas que mulher inteligente!" – o que me deixou arrasada.

Até hoje não sei o que eu teria preferido ser naquele momento. Depois de tantos anos convencida de que ser inteligente me bastava, eis que ali eu talvez tivesse dado tudo para trocar de lugar com a mais bonita. Por quê? Pois se a beleza, como a inteligência e as demais qualidades, é coisa relativa. Saber de quem era o poema era mera coincidência, e não me fazia melhor do que os outros inteligentes que eu conhecia. A mulher mais bonita ali era ela, e se ela não estivesse, poderia ter sido eu. Até que outra mais bonita ainda aparecesse, e nos suplantasse a ambas.

Saí dali com a certeza de que a beleza, como a imaginamos, absoluta, não existe; existe uma impressão de beleza. Mas ao nascer neste mundo como mulheres já estamos condenadas a perseguir essa improvável impressão até o fim de nosso dias, e a sofrer e gozar por causa disso. Até que o tempo nos traga a sabedoria – se é que traz. ~

HERMÍNIO

Foi no comecinho de 1968.
    Hermínio me convidou pra almoçar com ele. Como foi que ficamos amigos? Boa pergunta, não me lembro mesmo. Não sei sequer como nos conhecemos, mas a amizade se estabeleceu de cara, e de graça. Eu já sabia sobre ele, lógico. Tinha assistido ao show *Rosa de Ouro*, que ele dirigira, sabia todas as músicas de cor. Clementina, Paulinho, Elton. Também ficara amiga do Maurício Tapajós, parceiro dele. O povo do samba. Discos da Elizeth. Era um mundo.
    O almoço seria no apartamento do Hermínio, um solteirão empedernido que levava às últimas consequencias sua admiração pelos boêmios de antigamente. Morava na Glória, num prédio bastante simples no alto de uma ladeira, mas recebeu sua nova amiga (eu) com todas as honras: na vitrola (vitrola!!!), gravações de Oscar Cáceres, Leo Brouwer, Turíbio Santos; na mesa, finíssimas iguarias, vindas certamente do botequim mais próximo: ovos cor-de-rosa, linguiças, tremoços e assemelhados. Para completar, cerveja gelada. Um menu inesquecível, e eu estou falando sério. Sem contar com o papo brilhante do meu anfitrião, já naquela época sabedor de "causos" incríveis (que grande *causeur* ele é!) – histórias de Dalvas, Jacós, Radamés, Pixinguinhas. Um luxo.
    Eu tinha avisado ao dono da casa que um amigo músico viria me encontrar mais tarde, saindo de uma gravação. De modo que quando a campainha tocou, ninguém se preocupou

em olhar pelo olho mágico para ver quem era. Hermínio foi direto abrir a porta, e não chegava, não chegava... fui ver o que estava se passando. Encontrei meu anfitrião de boca aberta, recebendo a inesperada visita de dois Antonios: o que estava vindo ao meu encontro, Toquinho, violão debaixo do braço, voltando do estúdio onde estivera gravando o dia todo; e, como direi, um Antonio de brinde, um bônus, um Jobim, o dono da gravação de onde vinha o meu amigo. Eles tinham apenas terminado de gravar uma canção nova, "Retrato em Branco e Preto", e um Antonio arrastou o outro para a Glória.

Não sei até hoje se Hermínio e Tom já se conheciam de antes, ou se, sem querer, fui a responsável pelo primeiro encontro. Sei que fiquei o resto do dia admirando, maravilhada, o presente involuntário que proporcionei aos dois: Hermínio descendo toda a sua vasta coleção de Pixinguinhas e Noéis em 78 rotações, Tom falando de sua paixão por Villa-Lobos, uma tarde deslumbrante. A frase de Johnny Alf, "o inesperado faça uma surpresa", poderia ter sido inventada ali, naquele momento.

Contei essa história para o Hermínio um dia desses e, incrivelmente, ele não se lembrava. Só lembrou mais tarde, quando lhe veio à memória a inacreditável cena do Tom, já em alto teor etílico, descendo a ladeira da Benjamin Constant com seu fusquinha – de marcha à ré e na contramão.

Tudo bem, já faz mesmo muito tempo. Mas pra mim, nosso anfitrião estava querendo era esquecer o menu daquele almoço... ~

INGÊNUO

O Gordo era assim, aos vinte e poucos anos: um grande boa-praça, como a imensa maioria dos gordos, talvez meio ingênuo, mas sempre de bom-humor, sempre pronto pra uma festa, um samba, um encontro, uma parceria nova. Me lembro dele em diversos momentos: no dia de seu casamento com Virginia, por exemplo, suado e feliz, apertado no terno escuro. No seu primeiro apartamento de casal, num prediozinho antigo no Leblon – minha tia morava no andar de baixo, e uma noite tocou a campainha, depois de horas tentando em vão dormir, a música lá em cima não deixava: "já que não posso impedir, vim aderir" – e ficou no samba até de manhã. Maurício alegre, as reuniões em sua casa sempre acabavam com ele de porre, dormindo e roncando – um ronco inesquecível, retumbante, de muitos decibéis. Foi numa ocasião dessas que ele me confessou seu sonho mais secreto: queria que alguém um dia fizesse uma serenata pra ele.

Levando em conta que ele não era exatamente uma donzela disponível, ficava um pouco difícil que esse sonho viesse a se realizar. Mas Maurício era filho de seresteiro e tinha essa fantasia. Não custava nada pra mim tentar lhe dar este presente. Lembrei que seu aniversário de trinta anos estava próximo, e sugeri à Virginia fazermos uma surpresa para o Gordo. E assim foi que convocamos Deus e o mundo para a empreitada.

O ponto de encontro ficou sendo a casa do Aquiles do MPB4, que morava próximo. Difícil seria lembrar quem não foi: lá pelas dez da noite a casa já fervia de gente, numa impressionante concentração de músicos por metro quadrado. Hora de sair, fomos em passeata atravessando o canal do Leblon, e passeata naquela época – corria o ano de 1974 – podia se transformar numa grande roubada. Turíbio Santos, Paulinho da Viola, Miltinho, João Bosco encarregaram-se dos violões; Abel Ferreira iniciou tocando Pixinguinha no clarinete, já embaixo da janela do nosso amigo. Bituca cantou uma canção do aniversariante, "Carro de Boi", que mais tarde gravaria. Chico Buarque puxou um partido alto inventado na hora, um refrão que dizia: "Maurício, Maurício/ vou te ensinar um novo vício/ Maurício..." Hermínio tinha um gravador à mão, deve ter registrado tudo lá para os arquivos dele.

Vou te ensinar um novo vício, Maurício. Um novo vício ele aprendeu, e não sei quem foi que ensinou. Nos anos seguintes, ninguém saía da sede da Sombrás, eram tempos difíceis para nós, compositores. A coisa estava feia mesmo, e Maurício Tapajós não negava fogo: largou seu trabalho de arquiteto e mergulhou de cabeça na questão do direito autoral, sem deixar de compor grandes canções como "Mudando de Conversa", "Tô Voltando", "Querelas do Brasil" e outras tantas. Aprendera o vício de pensar coletivo e tomou a frente da caravana rolidei que formávamos todos. Tinha virado uma liderança.

Agora estou lembrando de um daqueles delírios de Glauber Rocha, quando ele falava em assassinato cultural: será que existe mesmo? Pois Maurício, o Ingênuo; Maurício, o Alegre; Maurício, o Sempre de Bom-Humor, foi ficando triste. Foi ficando amargo, foi ficando doente. Cansei de ouvir desavisados falando mal dele: eu questionava, indignada – por quê? você conhece o Maurício? Sabe de algum fato que deponha contra ele? E infalivelmente a pessoa não sabia. Ah, esse nosso hábito de falar de coisas que não conhecemos. Teus ombros suportam o mundo, como na poesia de Drummond. Ninguém carrega o mundo nas costas impunemente. Explode, coração.

Ele estava lindo no dia do enterro. Sereno. Quem não deve não teme. Graça, sua companheira dos anos difíceis, muito calma, certamente sabia disso. Fim de tarde em Botafogo. Hermínio pediu a Paulo Sérgio Santos que trouxesse a clarineta. Como Abel Ferreira fizera anos atrás, Paulo Sérgio também iniciou com Pixinguinha a segunda serenata pro Maurício: "Ingênuo". Ao longe, os sons de um tiroteio na favela. Maurício, Maurício, o Brasil não merece o Brasil. ～

JARDS

Quando me perguntam se tenho saudades da época dos festivais, me apresso a dizer que não. Não sou saudosista, daquela que suspira e diz "os velhos tempos que não voltam mais", e acho inclusive que a instituição "festival da canção" foi uma das primeiras a perder credibilidade neste país – outras a seguiriam, infelizmente.

Mas uma coisa é verdade: nos anos 1960/70 os festivais eram um grande laboratório, onde pessoas se conheciam, parcerias se formavam, talentos surgiam, e principalmente, à falta de boas escolas de música, novos arranjadores podiam experimentar suas ideias com uma orquestra de verdade. Muita gente boa aprendeu a escrever seus arranjos assim, no susto.

Meu amigo Jards Macalé, por exemplo, era um aplicado aluno do maestro Guerra-Peixe, com quem estudava harmonia e orquestração. Nas horas vagas, ainda tinha aulas de violoncelo e violão clássico. Um estudioso, enfim, que certamente poria em prática todo o seu aprendizado na primeira oportunidade. Estávamos começando uma parceria – e uma grande amizade – onde trocávamos informações, ouvíamos e, antes de mais nada, fazíamos música juntos. Era tempo de absorver e aprender tudo o que se pudesse.

Gloriosamente, uma música nossa foi classificada para o festival de Juiz de Fora. Dito assim, parece pouca coisa, mas todo o mundo – todo o mundo mesmo – participava daquele festival. Queríamos fazer bonito, é claro, e combinamos que eu seria a intérprete e Macalé o arranjador: seria seu primeiro arranjo de verdade.

Era um choro, música dele e letra minha. Chegamos a Juiz de Fora, eu já um tanto nervosa, pois não tinha ainda muita experiência de palco; Macao, nervosíssimo, às voltas com cópias, partituras, transposições; e Giselda, sua namorada, que fazia o possível para que ele relaxasse, afinal a responsabilidade não era tão grande assim. Mas vá dizer isso a um orquestrador novato, louco para impressionar o mestre!

No dia da apresentação, o tempo se arrastava, parecia que não chegava nunca a nossa vez de ensaiar. A orquestra "dos professores do Teatro Municipal", nas palavras do apresentador, parece que não tinha muita paciência com aquela garotada iniciante: violinistas resmungavam, flautistas botavam o radinho de pilha no ouvido para não perder o jogo que rolava no Maracanã, e por aí vai. Finalmente fomos chamados.

Macalé distribuiu as partituras, entregou a grade ao regente e eu tomei posição ao microfone. O maestro – ninguém menos que Paulo Moura – contou quatro, e a orquestra atacou: fréééin... Um som inacreditável, dissonante, pavoroso já no primeiro acorde.

Meu amigo Jards não esperou pelo segundo. Levantou da cadeira na mesma hora e foi recolhendo as partituras com os músicos, apertando a mão de cada um deles, dizendo "muito obrigado, cavalheiro, muito obrigado..."

Depois descobrimos a razão de tal hecatombe musical. O orquestrador iniciante não sabia que o arranjo seria todo transposto para cada instrumento da orquestra pelos copistas contratados, e escrevera tudo já com as devidas transposições – que por sua vez foram retranspostas, o que ocasionou o desastre. Mas aí era tarde demais.

À noite, na hora do espetáculo, Macao apareceu com as cifras escritas num pedaço de papel, entregou a Paulinho da Viola, e foi assim que eu tive dois violonistas me acompanhando na nossa canção. Infelizmente, fomos desclassificados. A carreira de arranjador de Jards Macalé se encerrou ali mesmo, em Juiz de Fora. A de compositor e violonista, prosseguiria no ano seguinte, já em plena Tropicália, de barba, camisolão, no Maracanãzinho, gritando: "CUIDAAADO! Há um morcego na porta principal..." – mas isso já é uma outra história. ～

SAIAS

Ele era o filho que toda a mãe gostaria de ter, o genro dos sonhos de cada sogra, o namorado, nem se fala. Tinha – tem – olhos verdes e era – é – um poeta e tanto. Quando ouvi uma música sua pela primeira vez, foi quase como ouvir missa: era exatamente o que eu gostaria de ter feito naquele momento. Na verdade, eu também fazia música, e algumas pessoas começavam a prestar atenção em mim. E não achei nada mau quando descobri que estavam me chamando de "Chico Buarque de saias".

Ora, saias! Saias por quê? Acho que o pessoal não sabia muito bem como classificar uma mulher fazendo música, naqueles anos 1960. Rosinha de Valença, por exemplo, era para a imprensa o Baden Powell de saias. Elza Soares, o Louis Armstrong de saias, por conta de seus bebops roucos. Clementina de Jesus virou o Pixinguinha de saias, embora não conste que ela tivesse alguma vez na vida tocado saxofone. Pois eu, quando dei por mim, era o Chico de saias. Talvez porque também tivesse olhos verdes. Ou porque compunha no feminino, o que ele também fazia quando lhe baixava a santa. Ou, como eu na época preferia acreditar, porque as letras eram boas. De qualquer forma, a comparação me parecia lisonjeira, e, a princípio, fui deixando que rolasse.

Não foi, portanto, exatamente uma surpresa, quando uma conhecida revista de tevê, especializada em *gossips*

FOTOGRAFEI VOCÊ NA MINHA ROLLEIFLEX (remix)

relacionados com o meio artístico, propôs um encontro entre o Chico de saias e o de calças. Achei a ideia simpática e aceitei imediatamente ir ao encontro do meu ídolo, na casa dele, acompanhada de uma repórter e de um fotógrafo, que documentariam a reunião histórica. Incrivelmente, ele também aceitou, e marcou-se a visita para uma certa tarde.

Chico morava num pequeno e acolhedor apartamento no Leblon, já com Marieta, que seria sua companheira definitiva. Ela era na época uma jovem atriz em ascensão, recém-separada do primeiro marido. O filho dos sonhos de todas as mães vivia em pecado com uma mulher desquitada. A gravadora odiaria que essa notícia se espalhasse. A revista de tevê adoraria ser responsável por isso.

Evidentemente, eu não tinha naquele momento a mais mínima ideia de que um complô maquiavélico se armava ao redor, e tratei de aproveitar o mais que pude o que se me oferecia, e que consistia simplesmente em ser apresentada ao Chico como "uma menina que compõe parecido com você", mostrar a ele uma ou duas músicas – que ele ouviu com simpatia – e posar para umas fotos ao seu lado, com a repórter e o fotógrafo incentivando: "cheguem mais perto pra enquadrar melhor", "olhem bem um para o outro" etc. – o que foi feito.

Eu namorava na época um garoto que fizera parte de um mesmo elenco com Marieta, e não deixei de mencionar isso na conversa, "temos relacionamentos em comum" e tudo o mais. A repórter anotava. Terminada a sessão de fotos, o carro da revista me levou para casa, e deu ainda uma carona ao Chico, que tinha uma aula de música em Copacabana, justamente com Wilma Graça, também minha professora. Mundo pequeno.

Duas ou três semanas se passaram até a reportagem ser publicada. E quando foi, eu não acreditei no que via:

"UM NOVO AMOR PARA CHICO BUARQUE"

O texto contava, com riqueza de detalhes, o caso secreto que estávamos tendo; o drama de nossos respectivos namorados, colegas de elenco, ao saberem de tudo; as músicas que fizéramos um para o outro. E, é claro, ali estavam as fotos, que não deixavam dúvidas: eu olhando abobalhada para o meu ídolo, e meu ídolo olhando para mim, não menos – afinal, com dezenove anos, eu não era nem um pouco de se jogar fora, ainda mais com aquela sainha curta.

"Mas logo com aquela saia!" gemia meu namorado, em desespero. Eu não sabia o que fazer; fora miseravelmente usada para o torpe propósito de desmascarar a união pecaminosa de dois pobres artistas. E não deu outra: no número seguinte da revista, os dois assumiam abertamente a relação, e assim o Brasil inteiro ficava sabendo que o genro ideal de todas as sogras não estava mais disponível. *Shame and scandal in the family*, como dizia um sucesso da época.

Pior foi o sentimento de culpa que fez com que eu passasse os anos seguintes me escondendo do Chico, morta de vergonha e medo de que ele achasse que eu compactuara com aquilo. Até que, tempos depois, comecei a me encontrar com Marieta em aniversários de criança, eu e ela já mães de filhas. Tudo limpo, um alívio. Vai ver, provavelmente só eu ainda me lembrava daquela história – ou não.

A revista que promovera o encontro saiu de circulação, dois ou três anos depois. Não sei que fim levou o fotógrafo que documentou o "romance". A repórter, eu sei: virou uma respeitada autora de livros sobre alimentação natureba, mas, entrevistada, confessou outro dia que felicidade também pode ser duas fatias de lombinho numa noite de Natal. Assim é, se lhe parece – como diria um Shakespeare de saias. ~

PASSEATA

1968 foi o ano que não terminou, assim está escrito. Grande Zuenir Ventura. Não terminou, nem foram descritas todas as mil facetas de sua história – nem jamais isso seria possível, cada um tem sua versão, seu momento inesquecível, aquele que só você viu e não esquece.

Meu momento emblemático de 1968 é uma passeata. Não a dos 100 mil, de que também participei e onde fui fotografada ao lado do Chico, com Vinicius atrás, a legenda do jornal dizia "Chico Buarque e a moça". A moça era eu, e por mera coincidência: fazíamos parte de um grupo de músicos que se reunia na casa de Ruy Guerra, em Copacabana, e era dali que saíam as instruções para as ações que viriam, cada um colaborando a seu modo. Hoje tem assembleia no Teatro Gláucio Gill, amanhã vamos recolher dinheiro nos outros teatros para mandar para o pessoal: o pessoal era a rapaziada que estava na clandestinidade, muita gente que a gente sequer conhecia, mas que estava no sufoco dos aparelhos, nas cidades, no interior, dando literalmente a vida e suando a camisa pela volta da democracia. A passeata dos 100 mil foi o coroamento de todos estes esforços, pela primeira vez não estávamos sozinhos, artistas e estudantes: mães, professores, religiosos, todos estavam lá. Tudo bem, não foi um milhão de pessoas como na campanha das diretas, em 1984. Mas em '68, significava muita coisa ver Vladimir Palmeira trepado num poste dizendo "agora a gente vai sentar no chão, com calma, pessoal", para aquele povo todo. No dia seguinte, empolgado com o evento, Nelsinho Motta descrevia emocionado todo o roteiro do nosso grupo de músicos em sua coluna de jornal, dando inclusive a lista completa de quem estava, de onde saímos, para onde fomos, quem liderava. O SNI não precisaria se dar ao trabalho de investigar, era só ler a coluna para saber que tínhamos terminado num bar, liderados pelo Aquiles. Coisa de amadores.

Mas não, a minha passeata não é essa. Aconteceu bem antes, mais modesta, preparatória das que viriam no futuro próximo. O ponto de encontro era na porta do Hotel Novo Mundo. Dali seguiríamos para o centro da cidade, onde outros grupos também estariam. A passeata iria em frente, gritando slogans contra a ditadura, parando de vez em quando para comícios-relâmpago, podendo se dissolver se a polícia chegasse, cada grupo se dispersando para um lado. Estávamos equipados: o uso de tênis era recomendado (para correr melhor), no bolso não podiam faltar limão e/ou amônia (para amenizar os efeitos do gás lacrimogêneo). Um amigo meu levava na mão um cassetete, embrulhado para presente: era talvez o único preparado para bater. Todos os outros estávamos preparados apenas para correr ou apanhar.

Tudo saiu como se esperava, até uma certa altura. E conforme o esperado, também, a polícia chegou. Somente a reação não correu da maneira prevista. Em vez de nos dispersarmos em pequenos grupos, o que nos daria talvez mais segurança, o pânico fez com que cada um corresse para seu lado, sem estratégia nenhuma. Minha experiência de anos como estudante em colégio de freiras fez com que eu me abrigasse no lugar que me pareceu mais seguro naquele momento: uma igreja.

Era a igreja de São José, na rua Primeiro de Março. Na hora em que entramos, estava sendo rezada uma missa. Havia pouquíssimas pessoas lá dentro, o que tornava a nossa presença mais fácil de ser notada. Mas eu tinha prática naqueles rituais, sabia todas as respostas em latim e não passaria de jeito algum por uma intrusa, a não ser pelo figurino, nada católico para a época. Ao contrário de mim, meu companheiro de passeata, Ricardo, era obviamente um estranho no ninho. Pior, seus brios de jovem homem de esquerda faziam com que ele se sentisse incomodado e quase ofendido com a situação.

Alguns policiais à paisana entraram na igreja, em busca de possíveis remanescentes da passeata. Era fácil identificá-los: usavam terno e gravata, com certo desconforto, e a indefectível meia branca. Olhavam para todos os lados, procurando claramente, sem a menor intenção de parecerem discretos. Era o momento do Ofertório.

Puxei meu amigo pelo braço: "ajoelha, Ricardo!" Ele resmungou, indignado: "o que é isso, eu sou ateu, não vou ajoelhar de jeito nenhum." Não era hora para fundamentalismos. Uma canelada e pronto, lá estávamos os dois, contritos, rezando. Eu, rezando de verdade – meu Deus, tira a gente daqui, rápido.

 E graças a Deus, deu tudo certo. Os agentes foram embora e pudemos voltar para casa no primeiro táxi. Outras passeatas vieram, maiores e melhores, e o governo não caiu. Quem caiu foi meu amigo Ricardo, preso numa ação armada um ano depois. Felizmente foi solto, não muito mais tarde, na primeira lista de prisioneiros trocados pelo embaixador americano. Passou dez anos no exílio, voltou a ser músico, imagino que continue sendo ateu. ~

PESQUISA

(Um fax para Ana Luiza, que estuda Comunicação em Belo Horizonte, re: Projeto "Música Brasileira & Ditadura Militar")

Rio, 13/10/1996

Ana: desculpe a demora. Vou tentar te responder o mais claramente possível, embora não necessariamente respeitando a ordem das perguntas que você me fez.

Em primeiro lugar, vou responder às perguntas 1 e 2 juntas: foi muito importante a MPB no período brabo da ditadura, e posso dizer com certeza absoluta que se a música, o teatro, o cinema, as artes enfim, não tivessem se engajado, a coisa teria sido bem pior. No caso da música, ela foi talvez mais importante, por ser uma forma de arte mais popular, à qual a população em geral tinha mais acesso. Havia, é claro, artistas que não estavam a par do momento político, ou mesmo que preferiam não se envolver – acho que a gente pode classificar assim a Jovem Guarda, por exemplo, embora, a bem da verdade, a partir dos anos 1970 o Erasmo tenha feito algumas músicas mais "cabeça". Mas quem pegava pesado mesmo era a rapaziada da chamada MPB, os da geração seguinte à bossa nova e os que vieram logo depois. Um pessoal geralmente de classe média e formação universitária. É importante dizer que este tipo de música, ao contrário de hoje, era muito, mas muito popular mesmo, e um show de MPB lotava ginásios com um público jovem, com os artistas tendo status de estrelas, como os ídolos pop de hoje.

Acho que a produção musical era mais rica porque o momento cultural imediatamente anterior era mais rico. A gente vinha da bossa nova, que foi um momento iluminado na música brasileira. E também a gente vinha de uma fase de grande auto-estima do povo brasileiro em geral. O pessoal tinha orgulho de ser brasileiro, e tinha orgulho da música que se fazia aqui. De modo que quando a ditadura endureceu de verdade – estou falando de 1968 em diante – e as letras tiveram que ser mais sutis para burlar a censura, isso foi apenas parte do processo, na minha opinião.

Penso que música criativa (estou falando de música, não só de letra) continua sendo coisa altamente subversiva. O que me remete a um fato (próxima pergunta) interessante: num festival da Globo, acho que em 1972, se não me engano, uma música do Hermeto foi censurada, e era quase toda instrumental. Os caras censuraram o arranjo! O Milton, quando surgiu, era um grande inovador melódico e harmônico, e seus letristas escreviam coisas de fundo político. O público não entendia muito o trabalho dele no começo, considerava complicado, e ele sofria demais com isso. Os censores, porém, achavam que entendiam, e foi assim que ele teve que gravar um disco inteirinho em vocalises, já que todas as letras tinham sido censuradas. Ainda assim, a música que estava ali dizia tudo – gritos, sussurros, gemidos, incêndios, uma força mais poderosa do que milhares de palavras. Nunca uma mensagem fora dada de forma tão clara.

Me lembro ainda de um disco do Gonzaguinha sendo quebrado diante das câmeras de TV pelo popular apresentador Flávio Cavalcanti, por ser, na opinião deste, "subversivo". Me lembro dele (Gonzaguinha) também se recusando a compor pra um filmete do governo, numa época em que, recém-casado e com tuberculose, precisava desesperadamente de grana, enquanto outro compositor (não importa aqui dizer quem) pegava o trabalho, já que ninguém ia ficar sabendo. Patrulhas ideológicas (pergunta nº10): havia, sim, como o Henfil, que fez uma charge enterrando a Elis no cemitério dos mortos-vivos (onde ele botava quem, em sua opinião, estava colaborando com a ditadura), por ela ter cantado na Olimpíada do Exército. Mas Clara Nunes também cantou, Elizeth Cardoso também, e ele só se incomodou com a Elis. Devia ser um grande fã. Diga-se de passagem que esse era um convite meio duvidoso, tipo "ou dá ou desce". Não dava muito pra recusar. A ditadura tentou usar o Ivan Lins, na época do seu primeiro sucesso, "O Amor é o meu País", e quase conseguiu. Mas ele era muito amigo do Gonzaguinha, e foi deixando de ser ingênuo (músicos geralmente são). Depois que ele se tornou parceiro do Vitor Martins, parceria muito gravada pela Elis, daí pra frente seu trabalho passou a prestar um grande serviço para a democracia. E a própria Elis definitivamente se penitenciou por toda e qualquer ingenuidade passada, ao gravar "O Bêbado e a Equilibrista", já em 1979. Esta letra do Aldir foi o estopim que faltava para desencadear a anistia no Brasil, um caso claro (e raro) de interferência da arte na História.

Acho que o maior desestabilizador da ditadura (pergunta 9) foi, de longe, o Chico, disparado. Ele era um ídolo nacional, uma unanimidade em todos os níveis. Tê-lo como adversário foi um grande golpe para a direita – imagine a cara do Nelson Rodrigues, que era fã dele, e torcedor do Fluminense, ainda por cima. Os baianos incomodavam um bocado, também, principalmente no nível da mudança comportamental – o que pode ser mil vezes pior do que cem mil passeatas. Me lembro do pai de um amigo meu, um reacionaríssimo senhor da Tradicional Família Mineira, que não podia nem ouvir falar no nome do Caetano, "aquele viado", ele dizia, espumando. Mas entre os compositores mesmo, não havia patrulha alguma (pergunta 11): o inimigo era comum. Os relacionamentos, a partir dos anos 1970, se tornaram bastante amigáveis. Antes, havia uma certa animosidade entre os diferentes grupos, mas não era política, e sim estética.

Respondendo à pergunta número doze: quando fui pra Itália, e em seguida pros Estados Unidos, era porque não existia espaço pro meu trabalho aqui. Durante anos me preocupei em dizer que não foi por causas políticas, mas hoje em dia, olhando de longe, a gente vê que qualquer exílio é um exílio. O cara que vai lavar prato em Miami hoje pra fugir da crise econômica brasileira também é um exilado, mesmo saindo por vontade própria. Talvez ninguém saia realmente por vontade própria. Meu disco *Passarinho Urbano* (próxima pergunta) foi gravado no final de 1975, quando eu estava na Itália com Vinicius e Toquinho, através do produtor italiano Sérgio Bardotti. Acabou virando um disco engajado, à medida que eu ia gravando coisas do pessoal que tinha problemas com a censura aqui – só que eu mesma não me dava conta disso. Quando mostrei para alguns amigos, aqui no Brasil, teve gente que se assustou com o conteúdo. No lançamento gravei um especial para a TV italiana, e um parente meu, diplomata, que servia em Roma na ocasião, ganhou uma chamada do adido militar brasileiro por minha causa. Cheguei ao Brasil, em 1976, e tinha uma pessoa na porta do avião pedindo que eu me apresentasse. Fiquei assustada, achando que iria ser presa. Era uma funcionária da alfândega, colega, na época, de minha mãe. Ela tinha ligado para uma amiga, pedindo para me liberarem logo a bagagem. A gente vivia mesmo na maior paranoia!

Bom, espero ter respondido a tudo. A gente se vê por aí, boa sorte na sua pesquisa,

JOYCE ~

EXPERIÊNCIAS

Fim de tarde em Ipanema. Uma figura feminina caminha pelo calçadão, magra, cabelo louro comprido, tatuagem, vestida de branco da cabeça aos pés. De longe, parece uma menina. De perto, você vê a cara marcada, envelhecida, o olhar vago, ela fala sozinha e gesticula. É uma velha amiga que não voltou de uma viagem de ácido. Antes disso, eu me lembro, era uma morena bonita, cantava, chegou a gravar um pouco. Diz a lenda que um belo dia pirou e invadiu um estúdio de tevê no meio de um programa ao vivo. Queria fazer um discurso pró-LSD. Foi internada pela família e ao sair, tinha parado no tempo. Até hoje pensa que está nos anos setenta, age e se veste como uma menina. Se você parar pra falar com ela, vai se surpreender com o discurso articulado, a cultura; vai ouvir sobre os discos que está fazendo, os festivais de rock para os quais foi convidada, é uma estrela pop, a maior de todas. E talvez seja de fato, no universo paralelo em que vive, ao qual poucos têm acesso.

Em 1968, havia uma guerra no Vietnã, protestos nos Estados Unidos, uma revolução jovem na França e uma ditadura no Brasil. Nos anos que se seguiram, nascia em nós uma certeza, a de que as coisas não eram assim tão simples. Nossa juventude, que antes se dividia entre alienados e participantes, ganhava uma terceira categoria: a dos desbundados. Estes eram os que se dispunham à experimentação em todos os níveis, questionavam tudo, partiam para o confronto; não estavam mais a fim de oferecer suas vidas em holocausto pelo fim da ditadura, mas se dedicavam com afinco a desmoralizá-la, através de comportamentos nada ortodoxos. Com isso, você às vezes podia levar um tremendo susto, ao ver aquele seu colega, antes todo certinho e politizado, aparecer de cabelão comprido, roupas indianas e um baseado atrás da orelha. Não foram poucos os que passaram por tão radical transformação.

Em 1970, por exemplo, o apartamento de Luizinho Eça, no final do Leblon, era um laboratório de sons e experiências de todos os tipos. Conviviam ali várias gerações de músicos de diversos estilos, linguagens, idades e sexos. Três horas da manhã, os bares fechando, você não tinha mais para onde ir, não havia erro: podia chegar na casa de Luizinho que sempre encontrava alguma coisa interessante acontecendo. A sala era pequena, quase toda tomada pelo piano de cauda inteira, ao redor do qual a gente se distribuía, tendo diariamente master classes sem que nos déssemos conta.

Naquela época, os gênios eram pessoas disponíveis e simples. Vinicius e Tom nos abriam suas casas, seus corações, suas geladeiras. Luizinho também, com a diferença de que a gente achava que ele era um de nós. Sem problema nenhum, dispunha-se a aprender conosco, tanto quanto aprendíamos com ele. E embora fosse mais velho, embarcava nas mesmas viagens daquela garotada que lhe frequentava a casa, sob os protestos veementes de Celina, sua governanta e faz-tudo, que tentava de alguma forma preservar uma impressão de lar no meio daquele caos. Em vão; sempre havia algum desgarrado que se hospedava, um que precisava de um lugar para dormir com a namorada, outro que brigara com os pais, outro que chegava do interior. Músicos tinham pouso certo e pensão completa sob a asa de Luizinho.

Não foi, portanto, nenhuma surpresa quando nossa turma elegeu o apartamento do Leblon como o Q.G. destas experiências. Não havia censura de espécie alguma, e Luizinho se mostrava pronto para mergulhar de cabeça em tudo o que pintasse. Começou com a maconha, evidentemente, ou, como se dizia na época, "o fumo". Foi na sala de Luizinho que uma tarde tentei converter meu amigo Gonzaguinha à nossa nova religião, usando de argumentos filosóficos e musicais. Ele me ouvia, nem um pouco convencido, até que desmaiei em sua frente, depois de uma tragada. Pânico total da galera presente: minha pressão, normalmente já baixa, caíra para níveis inimagináveis, deixando claro que eu não fora feita para aquilo. Quanto ao meu amigo, branco feito cera, repetia para quem quisesse ouvir: "agora mesmo é que eu não vou fumar esse negócio nunca!"

Luizinho foi convidado por um empresário mexicano a levar sua banda para uma temporada no país. O Tamba, seu grupo de anos, se desfizera. O empresário pensara numa formação ao estilo Sérgio Mendes, com cantoras e uma base instrumental entre a bossa nova e o pop. Mas Luizinho pensava grande, e armou uma banda com nada menos que treze elementos, todos membros de sua tribo de aprendizes. As cantoras que ele conseguira recrutar para a empreitada eram ainda amadoras, e me propus a dar uma força, ensaiar os vocais, e finalmente aceitei seu convite para fazer parte da caravana. Não sem antes ter ficado dividida: eu tinha um disco novo sendo lançado, e ainda por cima Vinicius também me convidara para viajar, na mesma época, para a Argentina, com ele e Dori Caymmi. Optei pelo meu grupo mais doido de amigos, e o poeta acabou encontrando uma outra cantora para ir em meu lugar, que acabaria se fixando com ele por um bom tempo, Maria Creuza. Eu só viria a retomar este trabalho alguns anos depois.

A Cidade do México, em 1970, era uma espécie de ante-sala da Califórnia, onde as loucuras estavam acontecendo. Com poucos dias de chegados, já estávamos todos nos vestindo a caráter, com penduricalhos, calças boca-de-sino, túnicas indianas e outras extravagâncias. Um dos músicos voltou da rua, uma tarde, carregando uma mala – não uma bolsa, não uma pasta: uma mala! – cheinha de Acapulco Gold, a mais famosa erva do país. Esta mala abasteceria o grupo por toda a temporada, pois nosso amigo era um rapaz generoso. Generoso também era Lennie Dale, o fantástico bailarino americano que influenciara vários cantores da bossa nova, e pusera hélices em Elis. Sem mais nem menos, apareceu um belo dia em nosso hotel – estava morando no México – com uma presença de exatos treze comprimidos de sunshine, um ácido vindo de Los Angeles. Com seu incrível português de gringo, avisava: "se vai querer, meu amor, porque se vai acabar!" A maior parte do grupo quis experimentar, e marcou-se a nossa noite de folga para a iniciação.

O que ocorreu naquela noite daria para escrever o roteiro de um filme. O corredor do hotel – estávamos todos no mesmo andar – virou um formigueiro, um zunzum de gente indo e vindo a noite inteira, entrando e saindo dos quartos: não só nosso grupo, como amigos que já tínhamos na cidade e que apareceram para assistir à nossa trip. E que trip! Em cada quarto em que se entrasse, havia um *happening* diferente. No de Naná, por exemplo, estava sendo celebrada uma espécie de missa afro-brasileira, uma cerimônia ao mesmo tempo profana e religiosa para os erês invisíveis que, segundo ele, moravam ali. Uma pequena plateia de americanos assistia em respeitoso silêncio. Entrei, comecei a cantar a *Bachiana nº 5*, com o berimbau de Naná em contraponto, numa performance que mais tarde tentaríamos em vão repetir. Nunca mais deu tão certo, é claro, se é que dera naquela noite. Dois dos nossos saíram com João Gilberto, outro que também estava morando no México, e só reapareceram três dias depois, repetindo obsessivamente o mesmo vocal num mesmo trecho de uma mesma música: "não sou limão, eu não/não, não, não"... Já Luizinho, que detestava os Beatles, encarnou sua porção John Lennon ao realizar, com a namorada, uma *bed-conference*, os dois nus entre lençóis, recebendo visitas, ele telefonando para ex-amores no Brasil, para amigos nos Estados Unidos, fazendo um discurso a favor da paz entre os homens de boa vontade. Outros de nós tinham alucinações visuais e sonoras, entremeadas por sessões de vômitos e mal-estar, conforme a disposição de cada um. Aconteceu de tudo, instrumentos quebrados, corações partidos, amores desfeitos, pedidos de casamento, deslumbres sensoriais, sonhos e pesadelos.

Anos mais tarde, olhando pra trás, quanta ingenuidade! Não era o despertar de uma nova consciência, era o prólogo de tempos muito estranhos. Por isso mesmo, pra mim, as experiências pararam ali, nos meus 22 anos. Talvez mais feliz seja quem ficou pelo caminho, sem presenciar o fim do sonho, como aquela nossa amiga que até hoje vaga pela praia de Ipanema, embarcada numa viagem sem fim. ~

BICICLETAS

Caminhando pela praia do Leblon num desses domingos ensolarados, mais uma vez olhei com inveja para a multidão de bicicletas que se cruzavam pela ciclovia. Quem dera! A grande e maior frustração da minha vida passava ali, impunemente, diante de mim – e tanto mais cruel porque frustração de infância, de criança de apartamento, que nunca teve o prazer de montar um camelo na vida. Quer dizer, quase nunca. Houve um momento em minha biografia em que quase consegui tirar de mim este atraso. Eu disse: quase.

Punta del Este, verão de 1975. Estamos em temporada no cassino San Rafael – sou a moça e o violão no novo show de Vinicius de Moraes, o que para mim é uma responsabilidade redobrada: estou substituindo ao mesmo tempo Toquinho e o Quarteto em Cy, que estão em temporada em outro teatro, e Vinicius me escolheu (por indicação de Wanda Sá), apesar de saber que eu estivera parada quatro anos e meio, e portanto, possívelmente fora de forma. Bom, mas tocar um instrumento é como andar de bicicleta, quem aprendeu nunca esquece, eu dizia para mim mesma. E o pior é que era verdade. Correra tudo surpreendentemente bem na estreia, apesar do tamanho do espetáculo, mais de duas horas, e do roteiro improvisado. Mas a verve do poeta não tinha limites, e as pessoas ficavam absolutamente fascinadas por ele, de forma que, mesmo se eu fizesse alguma besteira, passaria despercebida. Além do mais, eu tivera o cuidado de convidar dois músicos excelentes, Maurício Maestro e Rubinho Moreira, para completar o trio comigo, o que me dava segurança extra.

O clima de trabalho estava genial, agradável, amistoso. Brincávamos entre nós e chamávamos nosso grupo de Vinicius e os Três Moraes, uma piada referente a um grupo vocal da época, "Os Três Moraes". Vinicius recebera um convite estranhíssimo da prefeitura da cidade, para que escrevesse um hino para Punta del Este – rimos muito com a ideia dele de compor uma canção napolitana para a ocasião. E, é claro, o portunhol se tornara o nosso idioma oficial, no qual escrevíamos e falávamos o tempo todo.

De qualquer forma, temporada correndo normalmente no horário noturno, tínhamos o dia inteiro para flanar pela cidade, encantadora. De repente, em uma de minhas caminhadas, eis que me deparo com uma tabuleta: "Cicles de Alquiler". Finalmente, a minha grande chance de acabar com essa história mal resolvida! Incentivada pelos dois músicos, aluguei a bicicleta e saí me arrastando pela estrada empoeirada. Morrendo de medo, naturalmente, põe o pé no chão, tira o pé do chão, vai, vai, vamos lá que você consegue, vai, VAI! Fui, era inacreditável, eu estava conseguindo, dei umas duas voltas, até que... bum! o inevitável acontece, e eu literalmente me estabaco no chão.

Cheguei à noite para o show com cara de cachorrinho que quebrou a panela, arranhões nos cotovelos e nos joelhos, manchas roxas em locais que felizmente não apareceriam no palco, e um monte de mertiolate vermelho, mesma cor do meu vestido, nos machucados. Achei que o chefe não iria perceber.

Doce ilusão! A primeira coisa que o Vininha perguntou, antes mesmo de dar boa noite, foi "que foi isso, neguinha?"

"Eu estive aprendendo hoje a andar de bicicleta", respondi, me sentindo meio ridícula. "No meio de uma temporada?" — bufou o Vina, normalmente uma flor de gentileza — "Faça isso quando estiver de férias, sua maluca!"

Evidentemente, desisti do aprendizado, tendo sido admoestada com tanta convicção, mas pensei comigo mesma: "tudo bem, andar de bicicleta é como tocar um instrumento: quem aprendeu, nunca esquece".

Pois se algum dia alguém lhe disser isto, não acredite, é mentira das piores. Eu, pelo menos, nunca mais consegui. ～

CASAMENTO

"Ela é linda, éééé... está noiva, oooooh! Usa Pond's, aaaaah!" Assim rezava a propaganda, pelas ondas radiofônicas de outrora. O sonho dourado de toda mulher, ser linda, estar noiva. Na popular revista *Querida*, as mocinhas das historietas guardavam para os futuros maridos "o seu bem mais precioso". Vez por outra, escorregavam na casca de banana e acabavam sempre sofrendo punições severas, que variavam entre a execração pública e a solidão absoluta. Na escola, éramos ensinadas a manter o pudor desde a tenra infância. Não devíamos trocar de roupa umas diante das outras para não estimular a libido; o uniforme para as aulas de educação física consistia numa camiseta branca e um saiote com bombachas por baixo, e quando surgiu pela primeira vez uma chance de fazermos aulas de natação, a proposta da madre-encarregada para o modelo de maiô desanimou a turma no ato: "podia ser assim, com manguinha japonesa..." Educação sexual, nem pensar: tivemos uma única aula de "reprodução humana", dada às pressas por uma envergonhada professora, e considerou-se encerrado o assunto. No entanto, não se passava um mês sem que tivéssemos, já adolescentes, alguma palestra de fundo moral feita por uma das freiras, que chegava invariavelmente ao clímax com esta pergunta: se vocês entrarem numa loja de tecidos, vão querer comprar qual? o que está na porta, no mostruário, que todo o mundo pega, ou um novinho, que está guardado lá dentro? Assim, tendo nossos corpinhos juvenis comparados a uma mercadoria da Imperatriz das Sedas, íamos levando a vida.

No entanto, os hormônios eram uma força bem mais poderosa do que supunha a vã filosofia de nossas mestras. Lá pelo meio do ensino médio, todo o mundo na escola (com a possível exceção das muito feias, como diria, politicamente incorreto, o poeta) já tinha, de uma forma ou de outra, passado pela porta da loja. E não obstante, terminado o colégio, o pessoal todo começou a casar nos anos seguintes. Parece que a freguesia tinha mudado de critério. Outros tempos, outras modas.

A grande maioria ainda se casava conforme o figurino tradicional, na igreja, vestida de branco, com buquê, chuva de arroz, damas de honra e toda a parafernália que ainda hoje faz parte do cerimonial de um casamento. Claro que o meu teria que ser diferente. Casei apenas no cartório, vestida de marrom dos pés à cabeça – um extravagante figurino da Aniki Bobó, uma butique da época (1970), especializada no estilo hippie-chique. Mas extravagante mesmo estava o noivo, que mais parecia saído de um fotograma do *Yellow Submarine*, dos Beatles: cabelos compridos, anéis nos dedos, calça listrada boca-de-sino e um inacreditável paletó de pelúcia preta. A gravadora à qual eu pertencia na época teve a gentileza de providenciar um almoço para nossos amigos – providência muito bem-vinda, por sinal: estávamos duros, as famílias não aprovavam o enlace (estavam certos, mas ainda não sabíamos disso) e se abstiveram de comparecer. Já na sobremesa, um inflamado discurso de nosso amigo Naná Vasconcelos – do qual só deu pra entender o final: "o abade empírico do após-eu!" – fechou os trabalhos. André Midani, diretor da gravadora e um dos padrinhos (havia mais ou menos uns vinte), enviou como presente uma sanduicheira, dessas de fazer misto-quente. Jamais foi utilizada: todos fazíamos macrobiótica. Finalmente, o registro do evento, pela imprensa: uma revista de fofocas publicou a nossa foto com a incrível legenda "compositores também se casam". Também???

Anos mais tarde, vendo essa foto, minha filha pequena perguntaria, curiosa: "mãe, por que você não se casou fantasiada de noiva?" Perfeito. Não só a roupa é uma fantasia, como todas as expectativas que nos habituamos a ter com relação ao casamento também são. Quem foi que inventou que duas pessoas têm de viver juntas até que a morte as separe? Pois se você vende uma imagem melhorada de si mesmo(a), acaba comprando, igualmente, a imagem idealizada do outro. E nem sempre dá pra pedir devolução. Casamento devia, sim, ter prazo de validade.

Não obstante, lá ia toda a nossa turma assinando este improvável contrato – quase sempre para dar às respectivas famílias uma impressão de respeitabilidade diante de situações que já eram, àquela altura, inevitáveis. Casamentos de papel passado, em nossa tribo de músicos, foram vários, a maioria feita para não durar: Paulinho e Isa, Maurício e Virgínia, Edu e Wanda, Francis e Olívia, Novelli e Luci, Bituca e Lurdes – neste, fui madrinha, de chapéu e tudo, como ele também seria padrinho do meu; depois do fiasco de ambos, nos prometemos jamais repetir a dose... – Gonzaguinha e Ângela, Sidney e Jeanne, Gut e Guaíra, Ivan e Lucinha... Todos jovens, ingênuos, comovedoramente sinceros.

Não posso deixar de lembrar aqui a cerimônia de casamento de dois amigos meus, Nelsinho e Mônica. Fora tudo feito nos conformes, grandiosamente até. Os dois pertencendo a famílias tradicionais, muito bem relacionados, a noiva deslumbrante, o noivo e os padrinhos de fraque, e nós lá em cima: amigos dos dois, tínhamos nos comprometido a cuidar da música. Luizinho Eça se encarregara dos arranjos, com um quarteto de cordas escolhido a dedo; eu e Elis (que era também madrinha) iríamos cantar. Lá embaixo, no altar, ninguém menos que dom Hélder Câmara oficiava a cerimônia. De repente, um frouxo de riso no meio dos músicos: um inesperado mau cheiro tomava conta da parte superior da igreja. "Alguém *se peidou-se*", disse Elis, com sua proverbial sutileza, e, ato contínuo, emendou num vocalise dos deuses, como se nada estivesse acontecendo. Tipicamente ela.

Já na festa, em casa dos pais do noivo, hora de cortar o bolo, pedem a Vinicius que faça um discurso. O poeta já passou da cota etílica mínima, mas não se faz de rogado, e recita: "que não seja imortal, posto que é chama..." Ooohs e aaahs da plateia comovida, e ele prossegue, no que seriam os seus melhores votos para o sucesso de um casamento: "Mas que seja infinito... ENQUANTO DURO!" Palavras de imortal e infinita sabedoria.

RIO-BAHIA

Depois de tantos anos de convivência diária, a gente meio que incorpora um ao outro. Não é para menos que Tutty Moreno, nascido e criado na Bahia, tenha se transformado num perfeito carioca, com todas as vantagens e desvantagens que isso representa, especialmente a de considerar as frequentes críticas ao Rio como ofensa pessoal – grande desvantagem de fato, num momento difícil para a cidade como este que ainda vivemos: há sempre alguém de outras paragens pronto para dizer alguma verdade incômoda, perversa, dessas que a gente não consegue negar. O fato é que tendo vivido tantos anos no Rio, em companhia de uma mulher carioca, Tutty é hoje um típico morador de sua nova cidade, conhecedor de seus cantos e de seu bairro, serviços, barbeiro, mecânico, padarias, botequins e sua fauna etc. Sempre me surpreendo com sua natureza sociável em relação à vizinhança, embora ferozmente defensora do espaço privado do lar. Sou bem mais desligada em relação a essas coisas, deve ser parte da minha personalidade aquariana.

Por outro lado, na outra face da moeda, a Bahia me encanta quando a vejo pelos olhos dele. Nada de folclores simplistas, que ele detesta, e deve ter suas razões. A Bahia que aprendo com ele é outra, bem mais engraçada e verdadeira que a Bahia oficial. Aprendo, por exemplo, que quando um baiano diz "a Bahia", está geralmente se referindo à cidade de

Salvador, e não necessáriamente ao seu estado. Anteontem vira ontem-ontem; pode ser vira possa ser; canjica é mungunzá, curau é canjica, seguindo-se outras tantas palavras desse dialeto a que nunca me acostumei completamente. Mas o melhor de tudo são os apelidos, e por eles vou conhecendo seus antigos companheiros de infância, cada um com seus particulares descritos assim objetivamente: Lula Formigão, André Picardia, Dudu do Apartamento, Helinho Boca-de-Vudu, Paulinho-Boca-de-Provar-Moqueca (futuro Boca de Cantor). As histórias que ouço contar desses e de outros batutas parecem saídas de um livro de Jorge Amado, só que ambientadas nos anos 1960. Aliás, a graça está justamente aí: tendo abandonado sua cidade natal muito cedo, Tutty ficou com uma Bahia parada no tempo, como a Itabira de Drummond – um retrato na parede, às vezes doloroso, quase sempre divertido e picaresco.

Por isso o invejo: quisera eu só ter do Rio as imagens de minha adolescência, e ter sido assim poupada dos tristes, dos bárbaros, decadentes tempos que se seguiram. ~

O HOMEM

O Homem está procurando música. Com essa senha, dez entre dez compositores se assanharam naquele ano de 1969: o Homem era nada mais, nada menos que o músico brasileiro mais famoso do momento, que tinha estourado mundialmente três anos antes e agora vendia milhares de cópias com seu grupo. O sonho de todo o mundo era ter uma música gravada por ele. Boatos rolavam: ele te obriga a editar com ele, depois paga mal, Fulano e Fulano já passaram por isso etc etc. O pessoal falava mal, mas no fundo, todos estavam doidinhos para entrar como personagens nesta história, até para poderem reclamar depois, o que seria chiquérrimo.

    Edu e Dori foram convidados pessoalmente pelo Homem para uma audição no apartamento que ele alugara em Ipanema, durante sua temporada carioca. Fui junto: amicíssimos, tínhamos uma espécie de turma (no meu caso, uma das minhas várias) que se reunia com frequência nas casas de um ou de outro, ou em finais de semana em Cabo Frio. Cada um conhecia as últimas músicas de cada outro, de modo que a minha presença no encontro servia, para meus amigos, como uma espécie de reforço vocal. Para mim, antes de mais nada, matava a curiosidade de muitos anos a respeito de um mito de adolescência. Ficava imaginando como seria a figura, que os dois já conheciam muito bem, e de quem colecionavam estranhas histórias. Além do que, eu teria mais um caso pra contar nas minhas outras turmas, como a do pessoal mais da minha idade, que não tinha ainda acesso a essas coisas.

O endereço era um apartamento cinematográfico na Vieira Souto, alugado de alguma socialite. Passamos por várias salas imensas e finalmente chegamos a uma um pouco menor, que seria certamente a sala de música. A pessoa que nos atendeu mandou que esperássemos, e como esperamos! Talvez me falhe a memória, mas não me lembro de ter tomado um copo dágua naquela noite. Foi uma espera longa e seca; por sorte, vínhamos da casa de Dori.

Finalmente o anfitrião chegou, acompanhado da esposa. Estávamos todos – umas cinco ou seis pessoas – amontoados num sofá, nós e um violão.

O dono da casa deu um boa-noite formal e se acomodou numa poltrona antiga em forma de trono, à nossa frente. Calçava chinelas turcas, fumava de piteira, como a lagarta de Alice. Era uma situação bizarra. Eu me sentia desconfortável, estava ali por acaso. O Homem acendeu um cigarro (que para mim, parecia narguilê) e perguntou, com ar blasé:

— Então, o que vocês têm aí de novo?

Dori olhou em volta, deu o primeiro acorde, e no mesmo instante, feito mágica, a cumplicidade se estabeleceu, distribuíram-se as vozes, e atacamos todos, obedecendo ao nosso maestro: "Sá Mariquinha, o seu gato deu/ vinte e cinco bimbadinhas no rabo do meu..."

Silêncio constrangedor. Boa noite, e fomos embora às gargalhadas. Só revi o Homem mais de vinte anos depois, no Japão. Acho que ele não lembrou que eu fazia parte daquele vocal do Dori, ainda bem. ~

SUCESSO

Sempre me perguntei como seria se em vez de se lançar um disco com o título *O melhor de Fulano*, fosse lançado *O Pior de Fulano*. Ou se em vez de se fazer uma Parada de Sucessos, se fizesse, como um dia sugeriu um amigo meu, uma Parada de Fracassos. Grandes surpresas poderiam advir deste novo conceito. Inclusive a descoberta de que o fracasso de anteontem pode ser o sucesso de depois de amanhã – e vice-versa. Coisa mais fluida, esse tal de sucesso: assim como vem, vai; de repente volta de novo, vai outra vez, torna a voltar, como as luas e as marés. Pior pra quem esquenta a cabeça com isso.

Eu, por mim, se fosse voltar atrás e eleger os mais marcantes tropeços da minha razoavelmente longa carreira, teria infalivelmente que passar por uma temporada feita no remoto ano de 1968, numa remotíssima casa noturna chamada Sucata, na Lagoa. O nome da casa já não era dos mais promissores. No entanto, era um lugar mais ou menos da moda, sugestivamente decorado com ferros retorcidos que pendiam do teto ou surgiam pelos cantos. Nessa casa eram realizados espetáculos de música de médio porte, e foi de boa vontade que aceitei participar de um show criado pela dupla Miele-Bôscoli, que se chamaria, singelamente, Festival.

A ideia deste show era bastante simples: juntar cinco vozes mais ou menos recentes, de diferentes tendências, numa temporada que correria paralela ao Festival Internacional da Canção, para que os artistas convidados para a parte internacional do festival pudessem também assistir aos espetáculos. Um show para gringos, enfim. O elenco escolhido incluía, além de mim, Marcos Valle, Milton Nascimento, Francis Hime e Wanda Sá, e por aí começava a se desfazer o conceito: os cinco éramos grandes amigos, fãs uns dos outros, e a música que amávamos era, com poucas variantes, a mesma. Um elenco, portanto, menos heterogêneo do que pretendiam nossos diretores. Ainda assim, a dupla caprichou num press-release que destacava nossas diferenças. Marcos Valle, que na época era sem dúvida o mais bem-sucedido entre nós, seria o "novo ídolo jovem". Francis, conforme dizia uma gravação de seu parceiro Vinicius, incluída no roteiro, era "o pequeno príncipe da música popular brasileira" – referência pouco sutil às suas origens aristocráticas. Wanda representava a bossa nova, com total propriedade, diga-se de passagem, e Milton recebeu a duvidosa definição de "a moderna voz negra, culta e evoluída" (sic). Quanto a mim, a parte que me coube neste latifúndio me apresentava como "representante da juventude rebelde" – sabe Deus lá o que isso queria dizer.

O Trio 3-D, com Zé Roberto Bertrami, Novelli e Vitor Manga, era a nossa banda de apoio. Os ensaios corriam bem, cada um de nós preparando um ou dois números solos, e mais alguma coisa em conjunto com outro. Assim, eu fazia um número com Wanda e outro com Bituca. Wanda cantava também com Francis, Bituca com Marcos, e por aí vai. O número dos dois, aliás, era o grande hit do espetáculo, nada mais nada menos que a célebre "Viola Enluarada", que eles tinham acabado de gravar juntos. Eram tempos ainda duros para Bituca, e Marcos, em fase excelente de carreira, era um seu grande incentivador.

Bituca morava num quarto-e-sala em Copacabana, na rua Xavier da Silveira, que ele dividia com amigos: Helvius Vilela, Celinho do Pistom e sra., Nivaldo Ornellas, Novelli e quem mais chegasse. Éramos como irmãos, corda e caçamba, e ao ver que não cabia mais sequer um alfinete naquele recinto, acabei topando fazer da minha própria casa uma extensão daquele consulado mineiro, com as bênçãos levemente desconfiadas de minha mãe. Outros amigos cariocas estavam fazendo o mesmo, e assim havia recém-chegados de Minas espalhados pelas casas de Luizinho Eça, Maurício Maestro, Ronaldo Bastos e outros mais. Foi nesse conturbado ambiente que eu e meu amigo mais querido ensaiamos o nosso número para o show. Era "Tarde", uma parceria belíssima dele com Márcio Borges, onde eu começava cantando no meu tom, numa preparação para o clímax que seria a entrada de Bituca, com sua voz divina, um tom e meio acima. A ideia era gravarmos juntos essa música para o próximo disco dele – ideia que não foi em frente, pois naquela época não era ainda moda por aqui o uso do recurso "gentilmente cedido por..." Pertencíamos a gravadoras diferentes, não houve entendimento, e a gravação acabou saindo com meu amigo sozinho, cantando toda a primeira parte no "porão", ou seja, no meu tom, grave demais para ele, felizmente cercado por um belo arranjo de Luizinho.

Nosso espetáculo estreou, portanto, com alguns grandes momentos e outros tantos tropeços. Estes ficavam por conta do hilário texto que era dito em off pela voz de Miele ou pelos próprios artistas, simulando uma entrevista com perguntas "modernas" do tipo "Wanda Sá, o que você acha da pílula?" Eu, por minha vez, levava a sério aquela história de juventude rebelde, e fazia meu personagem com gosto, com todas as malcriações de praxe. Francis, tão meticuloso quanto tímido, ensaiava diariamente sua entrada em cena, contando o número de passos até o piano. Raramente dava certo, e nossas gargalhadas atrás do palco eram ouvidas da plateia. Ah, sim: havia ainda o detalhe da plateia.

Nossos produtores pareciam cada vez mais preocupados com o escasso público. Nós, não: estávamos ali para nos divertir, e quem nos interessava estava lá, como Elis – na época casada com nosso diretor Ronaldo Bôscoli – que não perdia uma só noite. Tinha suas razões: Wanda fazia um sensacional *medley* de voz e violão, com as músicas "Nêga do Cabelo Duro" e "Aquarela do Brasil", que Elis acabou gravando em seguida no próprio disco, com arranjo absolutamente idêntico. Generosa, Wandinha nunca mencionou o fato – até porque este *medley* lhe fora apresentado por João Gilberto, o que já daria a Elis cem anos de perdão... O show prosseguia, cantávamos para os amigos e a produção se descabelava pela falta de pagantes.

Fomos finalmente informados de que a casa resolvera encurtar a temporada e colocar em nosso lugar um show dos tropicalistas baianos, de maior potencial de bilheteria. Assim foi feito. O show dos baianos foi de fato um sucesso, e como dizia o Tom, sucesso é um perigo: por causa desta temporada, num nebuloso episódio envolvendo a bandeira nacional, Caetano e Gil seriam presos. A boate Sucata virou, tempos depois, o Teatro da Lagoa. Nossos elencos seguiriam em frente, cada um de nós em seu caminho, prontos para as próximas luas e marés em nossas vidas. ～

TROPICÁLIA

Torquato, que não era baiano, e sim piauiense, morava numa casinha de vila, no pé da ladeira dos Tabajaras, em Copacabana: uma casa simples de casal jovem, com posters e coisinhas penduradas na parede, almofadas pelo chão. Bethânia dividia um pequeno apartamento em Ipanema com Isabel Câmara, uma escritora também muito nova e talentosa. Já Caetano, morador do célebre Solar da Fossa, em Botafogo, eu vira pela primeira vez no Teatro Jovem: aconteciam reuniões ali, às sextas-feiras, a partir da meia-noite, horário de doidos. Essas reuniões tinham por objetivo discutir a estética vigente naquele ano de 1966, especialmente no arraial da música. Naquela noite, Caetano, ainda um recém-chegado no Rio de Janeiro, debatia com uma respeitada musicóloga a importantíssima questão da prosódia musical. Ela sustentava que era fundamental a sílaba tônica cair no lugar certo numa melodia, para não provocar distorções tipo "põe seus ólhinhos no chão". Ele dizia que podia tudo, que em arte não existe erro, e para exemplificar, mostrou uma música sua, "Avarandado", exagerando nas acentuações fora de lugar, fazendo "cada pálmeira da estrada/tem uma moçá recostada..." No fundo, um exercício de sedução e estilo, uma provocação, no que seria para sempre sua especialidade: saber deixar a mocidade louca. E não deu outra: o cara magrinho e descabelado, recém-vindo da Bahia, venceu o debate, demolindo sem dó nem piedade cada argumento da professora. Nossa pequena e hipnotizada plateia de estudantes era desde já seu laboratório.

Depois fui conhecendo melhor cada membro daquela tribo. Ninguém ali estava no Sul a passeio. Todos se sabiam geniais e estavam prontos para revolucionar a estética brasileira de maneira definitiva – com a possível exceção de Gal, um poço de timidez, que iria para onde fosse sua turma. E a turma sabia muito bem o que queria. Torquato e Capinan, os poetas; Gil e Caetano, os músicos, tão poetas quanto. E Bethânia, uma diva – diva pobre e ainda pouco conhecida, mas uma diva, sem sombra de dúvida.

O apartamento da rua Gorceix, que Bethânia e Isabel dividiam, era palco de grandes encontros e almoços – a diva cozinhava – com gente interessante como Pedro Soler, um belo violonista espanhol; Marisa, uma amiga jornalista, casada e mãe de família, que punha embaixo da asa todo aquele bando de malucos; Telma, cantora alagoana de voz cheia e presença desabusada; Guilherme Araújo, estranha figura, que seria um dos mentores do grupo. Eu era a mais nova entre os frequentadores, amiga da dona da casa – menos íntima do que queriam as más línguas – que me dava a maior força e falava da minha arte em todas as oportunidades. Por alguma razão, ela me adotara, cantava minhas músicas de iniciante, e quase me matou de susto ao tentar convencer a genial e veterana Aracy de Almeida a aprender uma canção minha. Aracy aparentemente não estava num bom dia, e ficou seriamente atrapalhada para entender aquela melodia, pra ela complicadíssima: "já me disseram/ que meu homem não me ama..." Pelo que acabei me conformando, não teria a lady do Encantado na minha discografia.

Pois foi no apartamento de Bethânia que fiquei sabendo das novidades: o momento tão esperado da revolução estética finalmente chegara. Guilherme comprara para Caetano umas camisas coloridas, trazidas da Inglaterra, no melhor estilo *swinging London*. Caetano estava deixando o cabelo crescer. Ele e Gil tinham uma bomba nas mãos prestes a explodir no próximo festival da TV Record: suas novas composições, "Alegria, Alegria" e "Domingo no Parque". Ouvi as duas músicas em primeira mão, e na hora não me dei conta de todo o potencial explosivo. Apenas as achei geniais, totalmente cinematográficas: a de Caetano parecendo um curta-metragem, com imagens rápidas e entrecortadas; a de Gil, um longa, com começo, meio e fim – a apresentação dos personagens primeiro, os perfis psicológicos de cada um pincelados em poucas frases, para depois passar à ação propriamente dita, até o desfecho. Cinema puro, embrulhado em música ótima. Caetano falava em guitarras, mas isso não me pareceu estranho: eu ouvira guitarras em casa a vida toda, primeiro com meu irmão, que tocava em bailes, depois nos discos de Barney Kessel, Joe Pass, Django Reinhart. Não imaginava que as guitarras dos baianos seriam outras.

Depois que tudo aconteceu, passei um bom tempo sem revê-los. De repente, a explosão na mídia, uma hecatombe musical de proporções arrasadoras; a teoria do som universal – globalização *avant-la-lettre*? – e lá estavam meus amigos transformados em heróis e vilões da música brasileira. Causando polêmica e algum estrago involuntário pelo caminho: detratores e seguidores pareciam igualmente tontos, em busca de argumentos que justificassem suas opiniões. Na falange dos detratores, as reações eram previsivelmente conservadoras e até meio ridículas. Mas do outro lado do balcão, a situação também não era das melhores: vários artistas jovens que eu conhecia piraram de vez, confundindo o proibido proibir com proibição às estéticas anteriores. Uma amiga minha e seu namorado músico, por exemplo, entraram em parafuso com a novidade proposta pelos baianos, e foi assim que eu me peguei, um belo dia, ouvindo deste casal que "acorde dissonante não pode". Como não pode? eu perguntava, lembrando Caetano, dois anos antes, dizendo no Teatro Jovem que em arte se pode tudo. E o Tom? e o Villa? "Não pode mais", eles diziam, "o Rogério Duprat falou que acorde tem de ser perfeito, acorde dissonante é careta". Esta compreensão distorcida das teorias tropicalistas chegou ao clímax num festival universitário em Porto Alegre, no ano de 1969, onde um compositor local, autor de uma música fora deste padrão, acabou sendo agredido por um exaltado fã da Tropicália, que lhe quebrou um baixo elétrico na testa. Pinimbas municipais, talvez, mas bastante reveladoras da confusão que se estabelecera nas cabeças da rapaziada. Como já tinha dito antes o próprio criador da teoria: "se vocês forem em política como são em estética, estamos feitos..."

Fotografei Caetano na minha Rolleiflex, numa tarde em '68. Eu passava em frente a um hotel em Copacabana e ele estava lá dentro no hall, vestido de seu personagem, olhando para fora com ar de infinita tristeza. Parecia um passarinho preso numa gaiola. E seria mesmo, pouco depois. "Os meninos sumiram, ninguém sabe deles", me dizia Giselda pelo telefone, preocupada. Os meninos eram Caetano e Gil: passados dois meses, felizmente, saíram da cadeia, mas precisaram ir morar em Londres por uns tempos. A hora não estava para brincadeiras. Por aqui ainda ficariam Bethânia, teatral e diva; Gal e seus cachos, batom vermelho, sem mais timidez; Capinan, poeta e parceiro, um morcego na porta principal; Torquato Neto, capa preta, mergulhado em anjos e demônios; gente fina, tropicália, aquele abraço. Nossa taba nunca mais seria a mesma. ～

VERDADEIRO

Meu amigo Michel Petrucciani era uma grande figura. Não sei o que mais me encantava nele, se a sua arte grandiosa de pianista, com seu lirismo, inspiração e genialidade, ou se sua outra face, quando não estava tocando, com a língua afiada e o humor cruel, iconoclasta, que não poupava nada, nem ninguém. Uma mistura bem dosada de champanhe e soda cáustica, esse meu amigo, com quem esbarrei nos lugares mais inesperados, conforme o roteiro de nossas respectivas turnês, e com quem conversava numa mistura de três diferentes idiomas: o seu francês de nascença, o inglês que ele dominava perfeitamente, e aquela língua difusa e universal dos músicos. Em todas, ele era um mestre da ironia e das pequenas maldades. Encontrar Michel era para mim sempre um prazer renovado; suas histórias, um carrossel divertido, movido a sexo, drogas e bombons – e, claro, à vida dos outros.

Nessa noite gelada do século passado em Manhattan, por exemplo, no seu apartamento na East 12th, ele está mais do que inspirado: desenvolve uma grande tese. Está nos contando sobre outros músicos de jazz que admira, e que quase sempre não são os que ficaram realmente famosos – são os que inventaram uma linguagem, na época incompreendida, que tornou famosos, não a eles, mas a seus seguidores. Assim, diz Michel, "Paul Bley é o primeiro Keith Jarret, o verdadeiro Keith Jarret. Assim como Roy Haynes, um baterista que quase nunca consegue sequer um clube para tocar em Nova York, é o verdadeiro Jack DeJohnette".

De todas as conversas que tivemos, essa foi a que mais me fez pensar. Perigosa, essa história de dizer quem é o verdadeiro quem. Quem terá sido, por exemplo, o verdadeiro Tom Jobim? Pergunto porque cansei de escutar por aí a versão apócrifa de que o verdadeiro Tom Jobim teria sido Newton Mendonça, seu parceiro de início de carreira, seu amigo de infância, seu quase alter ego. Mas não me deixo levar por essa versão: ao contrário, penso que em algum momento da trajetória, os dois se separaram exatamente porque um deles era Tom Jobim e o outro não. Acreditar na outra tese seria, de alguma forma, o elogio do maldito – entendendo-se por maldito aquele que não se torna o *mainstream*, o estabelecido – o que daria subsídios para uma outra tese, do próprio Tom, aquela que diz que o sucesso (alheio) é crime que não tem perdão.

Dá gosto de se ver, na realidade, quando o verdadeiro é ele mesmo, primeiro e único, não comporta imitações, nem antes, nem depois. O verdadeiro Tom Jobim, para mim, é o Tom mesmo, ninguém mais. João Gilberto é o verdadeiro João Gilberto – há quem diga que é João Donato, eu discordo: acho que são almas gêmeas, porém únicas. O verdadeiro Sinatra é Sinatra, o verdadeiro Groucho Marx é Groucho Marx. O verdadeiro Michel é Petrucciani.

Não disse isto a ele: a essa altura, a conversa já ia bem longe. ~

FLASHES

Montevidéu com Vinicius, chegando para mais uma temporada. Ele, eu e mais dois músicos nos instalamos no hotel Crillon – um antigo e tradicional estabelecimento, com ar europeu meio para o caído, assim como tudo naquele Uruguai dos anos 1970. Por alguma razão que me escapa – certamente tem a ver com a fama galante do poeta – todos os hotéis em que nos instalamos nos acomodam em quartos interligados, embora nem ele nem eu tenhamos nada a ver com isso. Até nos trens europeus ganhamos cabines contíguas. Mas separados por apenas uma porta, acabo virando espiã involuntária das atividades de meu amigo. E ele não aguenta só chegar e ficar quieto: em menos de vinte minutos já promoveu uma revolução no hotel, cujo pessoal já está inteirinho trabalhando em função de suas necessidades. Através da porta, ouço Vinicius pedir serviço de quarto, manicure, arrumadeira, lavanderia; encher a banheira e de lá enlouquecer a telefonista com chamadas simultâneas para Rio, Bahia e Buenos Aires – irmã, mulher e namorada, respectivamente; e ainda bater na minha porta "e aí, neguinha, vamos começar logo esta parceria? Cadê aquele samba novo que você me mostrou?" – proposta que eu, por algum motivo, nunca consegui encarar.

Acabamos descendo juntos para o bar do hotel, onde Vina tem alguns amigos à sua espera – sempre tem, em qualquer cidade em que chegue. O barman, claro, já o conhece de outros carnavais, e já traz pronto um uísque à moda uruguaia, o que significa, além do copo com gelo, um monte de pratinhos com tira-gostos (os chamados *matambres*), que aqui servem como acompanhamento para qualquer bebida alcoólica. O poeta é um cavalheiro e não vai começar a beber antes que eu peça alguma coisa. Peço, portanto, um suco de laranja.

Vinicius se vira para mim, sinceramente escandalizado: — "Mas que mulher barata!" Tenho a nítida impressão de que caí vários pontos em seu conceito. Vou precisar pedir um jantar bem caro para recuperar o respeito de meu amigo. Ele que me aguarde.

≡

Tóquio com Michel Petruccianni, nos bastidores do Blue Note, onde ele acaba de tocar. Os fãs já se foram, ficamos nós jogando conversa fora, para um certo desconforto dos japoneses da produção, que não veem a hora de fechar o clube, mas cuja célebre gentileza não lhes permite nos mandar embora.

"Eu com as mulheres não quero mais nada, só amizade", diz Michel. Estamos à sua volta, escutando seu discurso neo-misógino, eu, seus dois músicos e Nina, uma bela francesa que o acompanha na turnê, desempenhando função indefinida. Da última vez que nos encontramos, em Paris, ele estava recém-casado. Agora está recém-separado, mas não teve problemas em encontrar uma bonita amiga que lhe fizesse companhia, fico eu pensando. (Um cartãozinho que ela me entregou na despedida me faria depois compreender que se tratava de uma amiga, digamos, profissional.)

"Vocês mulheres só querem saber das aparências", continua meu amigo. "Acham que todo homem tem que ser assim um... Michael Douglas".

"Michael Douglas, aaargh..." é Nina simulando vômitos. "Quem foi que disse que as mulheres acham graça naquilo?" E segue indignada, arrasando o pobre coitado com toda sorte de adjetivos, onde *ringard* (cafona) é o mínimo. Eu fico quieta no meu canto, essa discussão entre os dois parece ser antiga e esquenta cada vez mais. Os japoneses assistem, atônitos.

"Então, vamos lá, diga, diga aí o nome de um homem, mas um homem mesmo que seja o sonho de todas as mulheres", responde Michel. "Gerard Depardieu? Tom Cruise? Yves Montand na juventude?"

"Chico Buarque!" Nina tira da manga, triunfante. "Esse é o homem, brilhante, inteligente e bonito, ainda por cima".

"Mas quem é esse tal de Chico Buarque?" pergunta Michel, cuja vida agitada de músico de jazz não lhe permite uma abertura cultural além dos seus já largos horizontes – "desculpem, desculpem mesmo, eu não sei quem é". Eu tento explicar a unanimidade universal, cantar alguns trechos de canções, mas é Nina quem rouba a cena, cantando "aquela da Schweppes – essa moça tá diferrente..." e sambando enlouquecida diante dos músicos e dos japoneses, que a essa altura entendem menos ainda o que está se passando.

Levo algum tempo para me dar conta do surreal da situação: uma francesa num clube de jazz no Japão, apaixonada pelo Chico, cantando o jingle da Schweppes para seu enciumado amigo, além de nossa eclética plateia. Nesse momento já estou dentro de um táxi, chegando em meu hotel, rindo sozinha às gargalhadas, enquanto o motorista me olha, desconfiado. Estou imaginando a cara do autor, se soubesse qual música do seu vasto repertório ela escolheu – e por quê.

≡

Cabo Frio com Leila: feminismo, lição um. Ela já veio de biquíni na barca que leva os carros (este é um tempo sem pontes). Veio sambando e cantando, chocando os viajantes pacatos, fazendo seu carnaval particular: "só gosto de música que a gente tem de abrir os braços pra cantar", ela diz, rouca e, a bem da verdade, um bocado desafinada. Agora nos encontramos na casa de amigos comuns, já nos conhecíamos de longe, essa é a primeira vez em que nos falamos.

"Sabe a história do pentelhinho dourado?" Ela começa a contar o que seria uma inocente historinha infantil, não fosse o protagonista um pentelhinho dourado à procura de abrigo. Uma história cabeluda, literalmente, a começar pelo texto em português castiço, com tudo a que se tem direito. A plateia da casa já tem intimidade com ela e se acaba de rir.

Depois do almoço, é cada um para o seu lado, na lombra da tarde ensolarada. Fico recolhida à minha timidez diante daquela mulher lendária – com quem eu, ainda por cima, compartilhara um mesmo namorado há coisa de um ano atrás. Nosso Don Juan, dividido entre a experiência de uma e a esperança de outra, acabou se atrapalhando e ficando sem as duas. Tudo certo, pensei, mas ela mal me conhece e vai ficar um mal-parado aqui neste salão, como manda a velha tradição de rivalidade feminina.

Só que a Diniz é um sol de porta aberta, e não passa recibo: aparentemente, esse tipo de desconforto não faz parte de seu repertório. Senta do meu lado e vai direto ao assunto:

— "Fulano é um barato, né?"

Concordo, sem graça. Ela prossegue, impávida:

— "Bobo pra caralho, também" — dá uma gargalhada, levanta e vai cuidar da vida, que tem coisa melhor pra fazer. Tiro o chapéu e aprendo a lição: entre mulheres, brigas, nunca mais. ~

SABIÁ

Na noite de ano novo de 1995 aconteceu na praia de Copacabana um mal-resolvido e mal-entendido tributo a Tom Jobim, causador de divergências entre artistas (até então) amigos. Muito se falou sobre isso, e encontrei um artigo no *Jornal do Brasil* assinado por meu amigo Jards Macalé, intitulado "Parem de Homenagear Tom". Entre ponderações cabidas e descabidas, Macao reviveu a noite em que Tom e Chico foram vaiados por cinquenta mil pessoas no Maracanãzinho, com "Sabiá". Tom teria atravessado o túnel Rebouças "chorando" pela injustiça, segundo esse relato. *Se non è vero, è ben trovato*, dizem os italianos. Eu estava lá, e diria que não foi bem assim.

    Claro, ninguém gosta de tomar uma vaia. Eu não gostei, Macalé não gostou, nem Nana Caymmi, nem Caetano, nem Sérgio Ricardo – e cada um reagiu à sua moda. Tom Jobim já era Tom Jobim quando venceu o Festival Internacional da Canção. Já tinha sido gravado por Frank Sinatra, era um músico plena e mundialmente reconhecido. Não vi a noite da primeira vaia, quando ele e Chico venceram a parte nacional, e a estudantada brasileira, que se achava muito politizada, protagonizou um protesto meio ridículo, do qual certamente todos se arrependeram depois.

    Mas sei que na noite em que venceram a parte internacional do festival – e não havia como ser diferente – houve ainda alguns recalcitrantes que vaiaram. Ali certamente Tom não chorou. Tomou um pilequinho no Antonio's, ao lado de alguns amigos. Entre os quais, modestamente, eu me incluía, aprendiz de feiticeiro, como tantos.

Foi pelo caminho mais longo que chegamos ao Leblon naquela noite. Tom estava mais, digamos, loquaz do que o normal. Cantava a mesma canção a noite inteira: "Chão de Estrelas", naquele trecho que diz "parecia um estranho festival..." e cortejava algumas moças, chamando a todas pelo nome de Teresa. A qual, muito sabiamente, se absteve de comparecer ao evento. Diz a lenda que Tom teria sido visto na manhã seguinte, descalço e ainda de smoking, lá pelos lados de Santa Teresa – ironicamente, a santa mais louvada da noite. Não sei não, mas também não desacredito. Nosso amigo era na época um belo homem, na flor dos quarenta. Uma das Teresas pode não ter resistido. Por outro lado, era famosa sua frase de efeito sobre este assunto: "allegro, mas não treppo". Em suma, lágrimas é que não vimos.

Pode ser que o próprio Tom, com sua alma de moleque de Ipanema, tenha romanceado um pouco a história e contado aos amigos a versão do túnel Rebouças, numa daquelas tardes mornas de sábado na Cobal do Leblon. Ele era um expert em brincar com a própria lenda. Uma tarde dessas nos encontramos por ali. Eu vinha carregada de compras, e ele estava sentado num dos bares do chamado Baixo Bernadotte. Me chamou: "vem cá, senta aqui um pouquinho, toma um chope comigo". E eu, atrapalhada com as compras – "não dá, Tom, tenho que ir pra casa". "Só um pouquinho", ele insistia, "só pra eles verem". "Eles quem, Tom?" "Ora, eles, o público".

Algumas pessoas estranhavam esse lado performático do Tom. Ele mesmo contava que sua filha pequena pedia para ele sair com ela incógnito – "é só você tirar o chapéu e encolher a barriga" – ficando assim livre do seu personagem. Tenho para mim que este cresceu mesmo foi depois da morte de Vinicius: inconscientemente, ele foi como que incorporando a porção figura pública, meio *clown*, do amigo querido. Era uma forma delicada de não deixar o Brasil totalmente órfão de seu mais gentil poeta. Uma espécie de Antonio Carlos Vinicius Jobim de Moraes (nossa amiga Miúcha foi quem me chamou a atenção para esta hipótese...)

A verdade é que nosso maestro virou mesmo um duende, como Vinicius e Villa-Lobos antes dele, e cada um de nós terá o seu Tom Jobim preferido na memória. As gerações vindouras conhecerão suas canções, assim espero – e terão dele uma imagem congelada num computador, ou criada por uma equipe de animação a partir de fotos e clipes. O homem que existiu um dia e que foi a mais perfeita tradução do Brasil na segunda metade do século vinte – este, meus caros, quem viu, viu; quem não viu, não sabe o que perdeu. ~

CONVERSÃO

Numa certa época da vida, tive uma amiga que não cantava samba. Era uma cantora iniciante, como eu e tantas outras daquele tempo, e como algumas de nós, bastante talentosa. Sua peculiaridade residia justamente no fato de que não cantava samba, de jeito nenhum. Era uma bossa-novista ferrenha. Na ocasião, havia um movimento, ou uma tentativa de, que pretendia retomar o fio da Bossa através da chamada *toada moderna*, e nossa amiga era uma das estrelas emergentes desse grupo. Mas o destino prega peças. Foi num festival universitário, finalzinho dos anos 1960. A organização do festival distribuía as canções aos intérpretes. Minha amiga chegou atrasada e só lhe restou uma alternativa. Ironicamente, um samba.

Durante os dias que se seguiram ela telefonou para cada uma das outras cantoras que faziam parte do seu círculo de amizade – para mim, inclusive: *"troca comigo, fica com o sambinha, fica!"* Ninguém se animou. As escolhas já haviam sido feitas, e cada uma já estava ensaiando a sua preferida. Não participar era pior do que participar não gostando. Minha amiga fez, portanto, das tripas coração, foi lá, cantou e arrasou: o "sambinha", que era meio fraco, cresceu na interpretação dela, foi premiado, e sua carreira deslanchou dali em diante. Hoje, tantos anos depois, vejo sua foto nos jornais: uma esplendorosa cantora de samba. Aquele despretensioso festival fora sua estrada de Damasco. Um dos casos mais impressionantes – e sinceros – de conversão que já presenciei.

{E não falei em Damasco à-toa: foi onde Saulo, o perseguidor de cristãos, se tornaria Paulo, o mais fiel dos apóstolos, aquele que divulgaria o cristianismo pelo mundo. Assim foi minha amiga com o samba, a partir de uma iluminação naquele festival.}

Conto essa história para ilustrar o assunto, pois que é de conversões que quero falar. Que elas existem em tudo na vida. Conversões monetárias, por exemplo – cruzeiros em cruzados, em cruzeiros novos, em reais. Dólares em ienes, ienes em euros, euros em francos suíços, em libras, em coroas. Mas tente converter alguma dessas moedas em bolívares, por exemplo. Ou em sucres. Duvido. São como latim ou grego, esses dinheiros: quase ninguém mais conhece. Assim também somos nós, somos todos – ou, como dizia a saudosa Aracy de Almeida, *"assim como são as pessoas, são as criaturas"*. Tudo aquilo que está vivo e respirando pode ser convertido. Mas só o que está vivo e respira.

Conversões religiosas: ateus em católicos, católicos em espíritas, umbandistas, budistas, protestantes. Doidões em crentes. Crentes em doidões – lembrei agora do caso de um amigo meu, louquíssimo, que tinha virado evangélico. Um belo dia, foi flagrado reincidindo nos velhos hábitos, e saiu-se com esta pérola: "Jesus hoje me deu folga!"

Virgens em devassas – o contrário é impossível, mas devassas em beatas arrependidas, já vi muitas. Heterossexuais convictos em homossexuais assumidos – o contrário pode não ser impossível, mas por ser tão raro, quando a gente vê, desconfia. Solteirões empedernidos em casados fiéis. Casados fiéis em descasados na gandaia. Fumantes inveterados em anti-tabagistas radicais. Não-fumantes em fumantes envergonhados. Elegantes de hoje em deselegantes de amanhã. Ricos em pobres. Classe média em pobres. Pobres em paupérrimos.

As conversões de cunho político são as mais interessantes. Não me refiro às de hoje em dia, meramente interesseiras, mas àquelas que outrora se chamavam "conversões ideológicas", verdadeiras e profundas. Geralmente não tinham meios-tons, iam direto do amor ao ódio, sem intermediários. Assim sendo, um jovem simpatizante do fascismo, como era Vinicius de Moraes na adolescência, podia perfeitamente se transformar num símbolo apaixonado de resistência democrática nos anos 1960. Já um jovem militante comunista como Carlos Lacerda se converteria numa furiosa liderança de direita. Coisas que só Freud explica.

Na verdade, talvez a melhor explicação seja mesmo a freudiana. Veja o caso da música brasileira, por exemplo. É sempre o filho eliminando pai e mãe. A bossa nova, filha direta do samba dos anos trinta, tratou de desacatá-lo de todas as maneiras, mandando para o ostracismo os velhos cantores do estilo dó-de-peito. Foi assassinada por seus filhos tropicalistas, que têm pelo menos o álibi do homicídio culposo: não é que pretendessem matar a família, coitadinha, até gostavam bastante dela, mas vá explicar isso aos seus entusiasmados seguidores. Alguns de seus filhotes roqueiros hoje, perdidos pelo caminho, buscam fazer conexão justamente com quem? com aqueles bisavós dos anos trinta, é claro. Pois o mundo gira e a Lusitana roda.

Certo estava Lavoisier, mais certos estavam os alquimistas. Tudo se transforma, sim – mas só vale a pena, de verdade, quando se transforma puramente em ouro. ~

CUBA

Em 1985, pela primeira vez, estive em Cuba. Mais do que isso: Cuba esteve em mim, no meu sangue, a ponto de fazer com que eu me comportasse como aqueles gringos que vêm ao Rio para o carnaval e ficam alucinados, meio ridículos, apaixonados pela energia, pela música e pelas cores do lugar. Foi mais ou menos o que aconteceu comigo, e tudo por culpa das orquestras cubanas.

Eis como se passou: eu participava da delegação brasileira que tinha ido ao Festival da Juventude, em Moscou. Gente do mundo inteiro, músicos do mundo inteiro inclusive. Fomos convidados a dar uma canja na noite cubana.

Pela rua, as orquestras cubanas já me enlouqueciam. Dentro do teatro, conheci Eduardo Ramos, baixista e arranjador de Pablo Milanés, que me introduziu ao resto da rapaziada. Ele conhecia uma música minha, "Feminina", por causa de um seriado brasileiro de tevê popular na ilha – isso me abriu todas as portas com os músicos cubanos, por incrível que pareça. Cantei duas músicas e a galera adorou. Ficamos amigos.

Passado um mês da primeira viagem, o convite inesperado: ir a Cuba na delegação brasileira (de novo!), participar do Encontro Latino-Americano sobre a Dívida Externa. Eu tinha lá minhas preocupações com a dívida externa brasileira, claro, mas a possibilidade de ouvir outra vez ao vivo aquelas orquestras me fez decidir na hora: vou, sim!

Era verdade, tratava-se de um encontro político. Daqueles que não se fazem mais. Delegações de todos os países da América Latina e do Caribe (inclusive uma delegação chilena clandestina, que estaria em maus lençóis se fosse detectada pela polícia de Pinochet), e uma vastíssima delegação brasileira, com representantes da chamada juventude de quase todos os partidos políticos daqui – de todos os espectros ideológicos, pois quem não iria querer uma viagem dessas? Da ala artística, somente eu e os irmãos músicos Clara e Carlos Sandroni, que pouco ou nada tínhamos a ver com os debates que esquentavam ainda mais as já tórridas tardes cubanas. Carlos sonhava encontrar seu guru Leo Brouwer, gênio do violão; Clara queria conhecer Silvio Rodriguez, de quem ela cantava já a obra completa. E eu... bom, eu queria tudo a que tinha direito, Irakere, Los Van Van, Arturo Sandoval e até Bola de Nieve, se vivo fosse, não me escaparia. Ao invés disso, tínhamos Fidel Castro em doses cavalares – o homem era impossível, não perdia um debate, não dormia, não comia e jamais se levantava para ir ao banheiro. Para cúmulo do nosso desespero, nos foi oferecido um almoço ao ar livre, manhã deslumbrante de sol, no acampamento dos Jovens Pioneiros. Pois qual não foi a nossa surpresa ao ver o Comandante Fidel, impropriamente trajado para a ocasião – botas, uniforme e tudo – discursando à beira da piscina para um grupo de brasileiros atônitos que nadavam inocentemente. O show que fora programado para os artistas participantes das várias delegações, foi literalmente varrido por um ciclone no dia seguinte – uma ventania de mais de 100 km horários simplesmente pôs abaixo o palco improvisado onde iríamos atuar. Ficávamos, assim, restritos à política.

Decidimos elaborar um plano de fuga. Conseguimos, antes de tudo, fazer uma visita oficial à Casa del Joven Creador, instituição que abriga os novos autores da chamada Trova Cubana. Sob a orientação dos já veteranos compositores da Nueva Trova, os trovadores novíssimos tinham na Casa um espaço para criar e trocar figurinhas e ainda que isto pudesse implicar numa certa orientação partidária, perceptível em boa parte das letras, havia ali também música de primeiríssima linha sendo feita. Conhecemos o diretor da Casa, Vicente Feliú, compositor e figura divertidíssima, que armou logo uma reunião noturna em casa de alguém que não lembro mais quem foi: sei que guardo até hoje as fitas K7 de uma noite memorável, ouvindo e trocando informações musicais com toda a geração nova de música cubana – Carlos Varela (posteriormente "descoberto" por David Byrne), Frank Delgado (que apareceu com uma espécie de afoxé cubano, cuja letra dizia *"soy un hijo de Xango y de la libertad / somos un pueblo para el carnaval..."*), Geraldo Alfonso (sósia cubano de Djavan), Santiago Feliú (irmão mais novo de Vicente, gago e canhoto, um dos violonistas mais talentosos que já ouvi, tocando com o instrumento virado ao contrário). Foi ainda nesta noite que finalmente descobrimos o significado emblemático da sigla da então União Soviética, CCCP: segundo um companheiro cubano, "cucurucucu, paloma".

No outro dia, teríamos uma visita a algumas fábricas modelo em outras províncias do interior da ilha. Liguei para Eduardo Ramos, pedindo socorro, e ele imediatamente providenciou um jantar em casa de Pablo Milanés. Informei ao nosso guia oficial que não iríamos seguir o programa estabelecido, pois tínhamos um encontro com Pablo. Ele desconfiou: "*Y después con Michael Jackson, por supuesto!*" – pois Pablo era um superstar na ilha e nada garantia ao zeloso funcionário que eu realmente o conhecia. Usei as palavras mágicas – "intercâmbio cultural" – e conseguimos ser liberados.

Inútil dizer que mais uma noite agradabilíssima se passou, e que daí para a frente escapamos de toda a programação oficial, sempre que possível, e caímos de vez na esbórnia, ajudados, é claro, por nossos novos amigos cubanos. Entre caminhadas pelo *malecón* e paradas pelos bares de La Habana Vieja, encontramos uma ruazinha com o singelo nome de "calle Amargura" – o que nos renderia muitas piadas e um samba de criação coletiva que, para que não se perca totalmente, quero em parte reproduzir aqui:

(refrão): *Ingratidão, ingratidão*
trataram tão bem a gente
a gente fez um papelão...
...Uma noite teve baile, na outra recepção
com biritas à vontade, lagosta e muito camarão
minha gente, quem diria que naquela conjuntura
trocamos a mordomia pela Rua da Amargura!
(ingratidão!)...

Em tempo: Clara encontrou Silvio Rodriguez e cantou para ele uma música sua feita em Paris, anos antes, da qual o autor não se lembrava. Carlos encontrou Leo Brouwer e passaram uns dois dias enfurnados entre partituras e arranjos. Eu não encontrei nenhuma orquestra cubana. Mas comprei um lindo disco de Bola de Nieve. ~

PERFEIÇÃO

Verão de 1995. No Jazzmania, o belo show de Zizi Possi suscita todo o tipo de comentários: a maior cantora do Brasil, a sucessora de Elis, a perfeição existe. Outono de 1995: os mesmos que fizeram os comentários acima, agora já estão meio ressabiados – descobriram o "segredo", já sabem que ela planeja cada respiração com a precisão de um relojoeiro suíço, conhecem os finais de cada canção, suas manhas de *diseuse*, seus truques de atriz. Ora, direis, ouvir estrelas. Como se vocês não soubessem que ela é uma perfeita .

Isso mesmo, uma perfeita. Pois foi o que andei pensando na ocasião, por tudo o que ouvi e li naquele momento. Foi mais ou menos o seguinte: os criadores, em todas as épocas, poderiam ser divididos em duas categorias, os perfeitos e os imperfeitos. Para cada perfeito que surge, aparece sua contrapartida de imperfeição e vice-versa, como num espelho que refletisse o inverso da imagem. Não foi à toa que um dos jornalistas que naquele verão mais falou de Zizi, ao compará-la (favoravelmente) com outras cantoras atuais, empacou quando tocou em Nana Caymmi, e acabou se saindo com um "Nana é hors-concours". Claro que é. Ela é, afinal de contas, uma imperfeita.

Não que isso seja um bem ou um mal em si mesmo. A história está cheia de monstros sagrados das duas categorias, igualmente geniais, senão vejamos: Pelé e Garrincha,

João Cabral e Vinicius, Renoir e Van Gogh, Paul Desmond e Charlie Parker, Spencer Tracy e Anthony Quinn, Ella e Billie, Beatles e Rolling Stones, uma lista infinita. A teoria básica seria a seguinte: o imperfeito é possuído pela paixão, o perfeito a possui. Essa condição não é, porém, exclusiva dos imortais, existe em todas as frentes e em todos os níveis. A vida é isso, em última análise, o embate entre a perfeição e a imperfeição, ou o equilíbrio das duas. Para que a gente, no final, possa dizer: *vive la différence!*

Por outro lado, já que nada é tão simples, podemos imaginar uma variedade enorme de subdivisões para cada categoria. Teríamos assim, por exemplo, os imperfeitos selvagens (que fazem o que fazem sem saber porque fazem, mas são divinos assim mesmo, *et pour cause*) e os imperfeitos conscientes (que inventam sua criação e depois a aperfeiçoam, a ponto de serem confundidos com os perfeitos, como Elis). Do outro lado, temos os perfeitos-perfeitos, sobre os quais não é preciso explicar nada, e os perfeitos-*gauches*, como Chaplin, Tom e Pixinguinha, cuja maior característica é o fato de virarem duendes a uma certa altura. Isso sem falar nos perfeitos-enjoados, como João Gilberto. São aqueles que de tão perfeitos, ficam insuportáveis, e então não há escolha: ou bem a gente os venera ou bem os odeia.

Claro, estou me referindo a coisas um pouco estranhas para este século, como arte, criação e outras inutilidades. Para quê? Para nada, como o galope do gaúcho naquele velho poema. Talvez exatamente para lembrar, em última análise, a mim mesma, que existem outras coisas além de política e destruição do meio ambiente para ocupar um espírito cansado em suas horas de folga. ～

OUTROS FLASHES

De novo com Vinicius em Punta del Este: mas que temporada esta, de tantos acontecimentos! Dessa vez, já é um retorno; fui chamada meio às pressas, para cobrir uma emergência de outra cantora, uma experiência que não deu certo. Não me incomodei por não ter sido a primeira escolha. Ele está no seu pleno direito de decidir quem vai sentar à sua mão esquerda – a direita já está ocupada pelo Toquinho, é claro. Chego para encontrar a trupe em Montevidéu, e lá está meu amigo Tenório Júnior, pianista genial, uma das pessoas mais inteligentes que já conheci. Esta é a última vez em que nos veremos nesta vida, pois quando eu voltar para o Brasil eles ainda seguirão para Buenos Aires, de onde "seu Antenas" (como costumo chamá-lo) não sairá vivo. Mas nesses dias Tenório ainda está em plena forma, tocando como nunca, arrasando no castelhano, com sotaque platino e tudo – o que virá a ser um problema, quando mais tarde vier a cair nas malhas da polícia argentina – e, é claro, exercitando seu esporte preferido, que é falar mal dos outros. Mas não faz isso de maneira chula, como uma reles comadre: até para uma coisa tão feia, meu amigo é um grande artista. Como tantos outros músicos, Tenório tem certa mania de perseguição e sempre acha que está sendo tapeado nas negociações. O engraçado é a fórmula que ele inventou para lidar com isso. Quando recebe algum elogio, convite para evento social ou coisa parecida, responde sempre, sem pestanejar: "minha parte em dinheiro, por favor". Passo horas a fio, nesta noite, escutando suas bobagens e ironias. Quando nos despedimos, ele me confia alguns livros de orquestração que comprou, para que eu os leve comigo para o Brasil, já que vou na frente. Ainda os guardo, estão aqui na minha estante, à espera do dono que não virá. A parceria dele com Vinicius, prometida para aqueles dias, também não aconteceu. Lembro do poema de Bandeira: a vida toda que poderia ter sido e que não foi.

Mas neste momento ainda está tudo bem, e seguimos para Punta, felizes com o reencontro. Vinicius está em lua de mel com Martita, Martita Perê, brincamos. O poeta parece um adolescente apaixonado. Foi nestes dias de verão que ele inventou, para divertir sua musa, uma personagem que poderia virar livro, ou pelo menos um cartum: Durazno Kid, cowboy dos pampas, que se apaixona perdidamente... por uma vaquinha. A amada vai virar churrasco no final da história, como numa canção de Teixeirinha, mas até que essa tragédia aconteça, ainda vamos dar muita risada pelo caminho. Não imaginamos que uma tragédia de verdade nos aguarda logo adiante.

=

Aula de linguística: o Tom adora essas coisas! Ele já é um amante da literatura e da boa poesia. Suas letras estão cheias de referências a Drummond, Guimarães Rosa e outros tantos.

"O amor se deixa surpreender... É uma febre terçã... O que você não sabe, nem sequer pressente..." tudo são trechos "emprestados" de seus autores prediletos. Lá por volta de 1973/74, quando alguém fazia uma crítica maldosa sobre seu trabalho, respondia com esta frase de Carlos Castañeda, que estava lendo em inglês: "*a warrior can be injured, never offended*" – numa tradução tosca, você pode ferir um guerreiro; ofendê-lo, jamais. Já nos anos 1990, numa noite em sua casa, diante do Central Park, em Nova York, discuti com ele e Aninha sobre a grafia de uma palavra em inglês, que eu pusera na tradução de uma música minha. Ana foi lá dentro e voltou com um dicionário digital de bolso, para tirar a teima. Eles estavam certos, é claro.

De volta aos anos 1970, me lembro de uma tarde em que tive uma aula informal com ele sobre a origem de alguns verbos. "Veja só", ele dizia, "como as línguas são belas, como se ligam misteriosamente". E seguia demonstrando: o verbo perdoar, por exemplo, é sempre para dar, em todas as línguas latinas: *pardonner* em francês, *perdonare* em italiano, *perdonar* em espanhol. Agora, vá procurar em inglês: *forgive*, ou seja, é exatamente a mesma coisa.

"Não é incrível?" disse eu a Vinicius e Chico, na casa do Poeta, nessa mesma noite. E contei, encantada, o que aprendera com o maestro, horas antes.

Chico não achou graça. "O Tom é fogo", reclamou. "Falei essa história dos verbos pra ele no outro dia, e agora ele fica usando isso pra impressionar as moças..."

FOTOGRAFEI VOCÊ NA MINHA ROLLEIFLEX (remix)

≡

Apelidos: músicos adoram. Difícilmente você vê um músico se referir a outro sem ser por codinome. E como é gente do planeta som, os apelidos não são quase nunca ligados às características dos donos, e sim à sonoridade dos nomes, que podem ou não ter a ver com o resto.

Eu, por exemplo, confesso que sou dada a esse estranho hábito. Estou contando isso porque lá em cima, quando mencionei meu amigo Tenório Jr., lembrei no ato do apelido que dei a ele. Mas também já usei alguns outros que não tinham a mínima explicação, como Gonçalves, por exemplo, que é como sempre chamei Gonzaguinha. E ainda hoje, se você grampear uma conversa telefônica em que as partes se tratam por Dalil e Gilda, pode ter certeza de que sou eu, conversando com Danilo Caymmi.

Alguns se aproveitam da facilidade que têm para inventar essas coisas e fazem mau uso do próprio talento, como Dori Caymmi, que nesse particular não poupa nem a própria família. Ele é daqueles que preferem perder o parente a perder a piada. Alguns – aliás, a grande maioria – desses apelidos são impublicáveis, mesmo aqui, nesta intimidade em que estamos. Outros já caíram em domínio público, como a renomada família Chiquinha Gozava, Luís Gozava e Luís Gozava Junto (também conhecido por Gozadinha). Meu amigo Gonçalves, aliás Gozava Junto, aliás Gonzaguinha, nunca se incomodou com nada disso. Pelo contrário, tinha orgulho, achava que os apelidos lhe faziam jus. Mas a família Caymmi, por exemplo, não merecia a cruel aliteração com que foi brindada pelo próprio sangue de seu sangue.

Melhor a gente esquecer esse assunto. ~

TURNÊ

Mambembes, ciganos, saltimbancos. Músicos. Vida imprevista e destino imprevisível: dia de muito, véspera de pouco, antevéspera de mais. Um dia chanceler, um dia sem comer, como na canção de Gil. A casa nas costas seria perfeito. Na impossibilidade, melhor se preparar para passar da forma mais confortável o tempo em que se esteja na estrada. Para tanto, alguns mandamentos fundamentais se impõem. Vou tentar colocá-los em ordem relativa, mas atenção, colegas! a ordem dos fatores não altera em nada o resultado. De modo que, atendendo a inúmeros pedidos, aqui vai o que eu chamaria de meu MST: Manual de Sobrevivência em Turnê, para músicos e adjacentes.

1. PRODUÇÃO: não cometa jamais o desatino de pensar que pode dar conta de tocar e produzir ao mesmo tempo. Não pode. Alguém terá forçosamente que se encarregar desta chatice e deixar que você faça exatamente aquilo que nasceu para fazer. E acredite, também tem gente nascida para cuidar de produção, por incrível que pareça. Só não pode acontecer é de o(a) produtor(a) ser mais doido(a) que você. Essa prerrogativa tem de ser sua, se é que você ainda acha que deve exercê-la (está ficando cada vez mais fora de moda). Inesquecível uma turnê europeia que fizemos de carro. Nossa produtora, mui querida, porém viajandona, na hora de consultar os mapas perguntava a um amigo, nordestino em primeira viagem fora do Brasil: "Fulano, pra que direção você acha que a gente vira?" Foi assim que quase fomos parar na Bélgica, quando o show era numa cidade ao norte da França. Felizmente, chegamos ainda a tempo, mas foi por pouco.

2. VIAJANDO LEVE (ou *travelin' light*, como diria Billie Holiday, e ela deve ter tido suas razões): aquela mala enorme, que você precisa puxar por uma coleira como se fosse um cachorro, é a última coisa que você precisa numa turnê. Se você que me lê é uma moça, vai pensar, com certeza: "tudo bem, na hora H alguém aparece para dar uma força". Pode até ser. Mas você não quer passar o resto da temporada com a banda toda fugindo de você na hora de trocar, digamos, de uma plataforma de trem para outra em apenas oito minutos – aquele trem japonês que não atrasa e se você perder, dançou – quer? De forma que é melhor dispensar alguns modelitos e levar apenas o realmente imprescindível. Sei do que estou falando.

3. FAMÍLIA: Um elenco em turnê funciona um pouco como uma família na estrada. Incrível como isso acontece, e os papéis sempre se distribuem, como na vida, com alianças, acordos implícitos e personagens subentendidos: o pai, a mãe, os irmãos, aquele parente chato, o louco, o responsável, o bonzinho. Meu amigo Mozar Terra, pianista e arranjador de muitos talentos, criou a figura inesquecível do "primo", aquele que aparece de tempos em tempos, quando você passa da conta nos aditivos e no outro dia não lembra mais o que aconteceu. Quem aprontou todas não foi exatamente você, e sim o seu primo. Esse personagem já começa a ficar conhecido no meio, e não é raro ouvir comentários do tipo "ontem o primo do Fulano estava impossível!" – o que não quer dizer muita coisa, pois esses primos são invariavelmente impossíveis.

4. LIGAÇÕES PERIGOSAS: Sim, os hotéis cobram taxas absurdas nos interurbanos, mas não é disso que estou falando. Estou falando de carência afetiva, e não só daquela que faz você ligar pra casa diariamente, como se a sua presença fosse realmente indispensável para os mínimos assuntos, mas da carência amorosa. Existe no meio do pessoal de cinema um ditado que diz "namoro de filmagem termina na sala de montagem". Isso devia valer para músicos também. Como não temos sala de montagem – o show acaba quando termina – pode acontecer de os carentes e ansiosos arranjarem noivados, casamentos e encrencas pelo caminho. Todo cuidado é pouco, portanto, pois os enganos neste particular costumam ser fatais, e alguém acaba sempre se dando muito mal. Peço licença para não entrar em detalhes sobre assunto tão delicado.

5. FESTA É FESTA... e trabalho é trabalho. Não, não estou dizendo para você fazer uma turnê inteira pelo Nordeste sem ir nem uma vez à praia ou comer uma moqueca. Muito pelo contrário, sou plenamente a favor de que se aproveite a maravilhosa oportunidade de conhecer novos lugares, sotaques, comidas e sons. Conheço gente que chega em qualquer lugar do mundo com a mesma atitude de turista acidental, sem jamais pôr os pés fora do hotel, nem travar conhecimento com os locais. Outros sofrem de misterioso sentimento de culpa, como se a patroa lá em casa (ou o patrão, conforme) fosse amaldiçoá-lo(a) eternamente por se divertir um pouquinho. Não; nossa profissão nos dá esse presente, vamos fazer uso dele. Mas com moderação, galera! E se possível, depois do expediente.

Finalmente, se todas essas recomendações não forem suficientes, poderão ser resumidas numa só:

6. JUÍZO: não saia de casa sem ele. ~

FUTEBOL

Não sou, definitivamente, das dez maiores aficionadas do nobre esporte bretão. Mas a Copa do tetracampeonato, por todos os motivos, se transformou pra mim numa experiência inesquecível. Quem mais teria acompanhado os jogos durante uma turnê mundial, em seis idiomas diferentes, em sete diferentes países, nem um jogo sequer no Brasil? Eu e minha banda, é lógico.

Junho de 1994, cinco pessoas viajando: eu, Tutty, Teco, Maurício e Kadi, nossa *road-manager*. Já houvera uma prévia em Miami, primeira escala da turnê, jogos de menor importancia – porque o Brasil não participava – a que apenas os fãs mais empedernidos se dispuseram a assistir. De modo que a Copa de '94, pra mim, só começou realmente em Londres, num quarto do London Embassy Hotel, Bayswater Road. Reunidos em torno da tevê, batata frita, cerveja e tudo o mais à mão, enquanto a galera vibrava e sofria, eu, não sendo tão chegada ao esporte, me divertia com o dramático estilo shakespeariano dos narradores, em inglês castiço e rigoroso: *Bebeto turns away in anguish*, por exemplo, descrevia o desespero do nosso atacante diante do passe errado de um companheiro. *Exquisite nonsense* foi a perfeita interpretação dos locutores britânicos para um drible de Romário. Só faltou sir Lawrence Olivier para fazer os comentários. Ok, os hooligans podem ser o auge mundial da selvageria, mas a narração é o auge da finesse, podem acreditar.

Próxima parada, Itália. Conhecendo bem a praça, imaginei um delírio de emoção, locutores cheios de superlativos, coração na boca e tudo o mais. Ledo engano. Os italianos estavam escaldados, seu time parece que não ia lá bem das pernas e só continuou no campeonato por obra e graça de Gesù Bambino e do Divino Espírito Santo. Sendo assim, tanto a torcida, quanto os narradores estavam estranhamente contidos, uma grande surpresa para todos nós. Antes do nosso concerto (show, em linguagem jazzística), dei uma entrevista para a televisão local. O repórter me pediu um palpite para a final. Eu sinceramente não estava nem um pouco convencida das qualidades do nosso time, mas por honra da firma, diplomaticamente, cravei: Brasil x Itália, com vitória do Brasil, claro. Se fosse um "bolo esportivo" como os da minha infância, eu teria ganhado uma grana.

Espanha. Esperávamos alguma emoção, mas ainda não foi desta vez. Acho que a tal da Comunidade Europeia anda mexendo demais com a cabeça dos povos latinos, é a única explicação. Todos se tornaram incrivelmente europeus. Você ouve o locutor espanhol e, instintivamente, sabe que ele está de paletó e gravata. Uma narração em sueco teria a mesma empolgação. Aliás, teria muito mais.

Chegamos à Suiça num calor que faria qualquer morador de Bangu se sentir em casa. Deve ser o buraco na camada de ozônio. Em Lausanne, sem ar refrigerado num hotel cinco estrelas – provavelmente demos a sorte de estar lá nos únicos três dias quentes do ano – ouvindo a narração dos jogos em francês, tivemos a rara e educativa experiência de viver num mundo sem anglicismos. Com a política cultural dos países francófonos de evitar quaisquer termos estrangeiros que possam deturpar o idioma, aprendemos que gol é *bût*, pênalti é *tire au bût*, e futebol... como é que é mesmo? Se a moda pegasse no Brasil, estaríamos naquele momento assistindo à Copa do Mundo de ludopédio. Ainda bem que não estávamos. Tocamos duas noites seguidas na Place de l'Esplanade, ao ar livre, e na segunda noite, o time suíço foi eliminado pela Espanha. O público foi chegando na praça meio desanimado, *demi-bombe*, e saiu de lá pelas duas da madrugada, completamente eufórico e consolado – o autêntico milagre brasileiro. Fizemos a nossa boa ação do dia...

Chegamos via trem noturno à Alemanha, e pela manhã já estávamos loucos para saber o resultado do jogo da noite passada. Na verdade, começáramos a assisti-lo na véspera, na gare de Frankfurt, entre um trem e outro. Um único restaurante passava Brasil x Estados Unidos no telão para os fregueses. Alguns abnegados do nosso grupo se dispuseram a encomendar um jantar para poder ver o jogo, mas a qualidade do serviço e a narração em alemão – animadíssima – somadas à premência do horário, não permitiram que a ideia vingasse. De modo que na hora do *frühstück* – em português, *breakfast* – estávamos todos de olho em qualquer sinal futebolístico que surgisse. Uma senhora lia um jornal no vagão-restaurante, que nos pareceu vagamente conter alguma notícia sobre o Brasil. *Fussball* era a única palavra que a nossa vã ignorância em assuntos germânicos nos permitia entender. Com jeitinho, disfarçando a timidez, fomos nos aproximando, até que um mais afoito – que periga ter sido eu – criou coragem para perguntar à dama do que se tratava. Surpresa: era uma professora da Universidade de Berlim, gentilíssima, que nos traduziu em inglês perfeito toda a matéria, e assim ficamos sabendo que estávamos indo para as semifinais. Festa geral da galera ensandecida. É claro que a convidamos para assistir ao concerto, e à noite ela estava lá, toda séria, no meio da garotada.

Terminada a parte europeia da turnê, seguimos pra Nova York, onde teríamos que tocar já no dia seguinte. E logo aonde: no SOB's (*Sounds Of Brazil*), um reduto de jamaicanos, caribenhos, brasileiros e outros filhos d'África. Para completar, os jogos estavam sendo exibidos lá à tarde, num telão, com direito a apitos, tamborins e reco-recos de brinde para os convidados. Nosso primeiro pensamento, é claro, foi "isso não vai dar certo".

A rapaziada se dividiu para assistir ao primeiro jogo, Brasil x Holanda. Fiquei um pouquinho com o Tutty no SOB's, mas a perspectiva de empate ia me deixando mais e mais nervosa, de modo que só fiquei sabendo da intervenção salvadora do Branco bem mais tarde, já em casa. À noite, na hora do show, casa lotada, uma euforia absurda;

como dizem Chico e Tom, a minha música não é de levantar poeira, mas pode entrar num coração de torcedor aliviado. Sobrevivemos à vitória.

Os dois jogos seguintes, vimos por lá mesmo, em casa de minha amiga Lisa Urgo, uma americana inteiramente apaixonada pelo Brasil. Lisa organizou uma torcida completa em seu apartamento, e, já relaxada, pude retornar ao meu hobby inicial, a observação de locutores. Nós, brasileiros, estávamos agora em minoria numérica. Pedíamos insistentemente aos nossos anfitriões que ligassem a tevê no canal hispânico, onde os comentaristas pelo menos conheciam as regras do jogo. Mas não adiantava: o maior número de americanos presentes nos obrigava a assistir ao canal falado em inglês, um desastre. Sem saber o que dizer, por absoluta ignorância do que seja futebol, os locutores americanos enchiam linguiça com informações dignas da nossa Rádio Relógio, tipo "você sabia?" Você sabia que o passe de um jogador como Romário pode chegar aos dez milhões de dólares? Você sabia que apenas três países no mundo já foram tricampeões? Você sabia qual a velocidade média de uma bola chutada do meio da área?

Na véspera da final, resolvemos cutucar a onça com vara curta e fomos visitar o território inimigo. Decidimos jantar em Little Italy e ver o que estava acontecendo por lá. Um ato de bravura, sem dúvida: só fomos atendidos porque não havia outro jeito, mas ficamos imaginando se os italianos da cantina teriam cuspido em nossos pratos, ou coisa parecida. O atendimento foi absolutamente *lousy*.

O resto é História, como se sabe. Depois do sofrimento daqueles pênaltis, uma merecida comemoração na rua 46. Encontro meus amigos Túlio Feliciano e Emílio Santiago, e confraternizamos todos, berros, abraços e beijos. O Brasil está salvo! No meio da batucada da vitória, brasileiros e brasileiras dançam enlouquecidos com casais americanos recém-chegados de uma parada gay. A polícia fecha a rua para a festa. Saímos de lá rapidinho, já comemoramos o suficiente. Emílio foi reconhecido por fãs brasileiras e não vai conseguir sair de lá tão cedo.

Minha turnê termina no Japão, para onde eu sigo direto de Nova York. Terão sido ao todo dois meses na estrada. Chegando a Tóquio, ainda dá pra ver a retrospectiva da Copa, que eles comemoram como se campeões fossem – como esse povo nos ama, puxa vida!

Por mim, dou graças a Deus por já ter chegado lá depois de tudo. Assistir à Copa às quatro da manhã, e em japonês, não ia ser fácil. ～

CANÁRIAS

Não sei quem inventou esta denominação para designar a tribo das cantoras; sei que surgiu no ambiente dos instrumentistas, em algum lugar dos anos 1970, com certa conotação pejorativa. Músicos têm lá suas mágoas com suas patroas, e em alguns casos não lhes tiro a razão. Algumas podem ser especialmente complicadas e chatas. Nem todas são tão musicais quanto deveriam. Ainda assim, é engraçado constatar que este adjetivo ficava sempre no feminino – o que pode proporcionar uma leitura interessante, se você estiver a fim de procurar atitudes de misoginia explícita no meio musical. Hoje em dia, tempos mais modernos, os canários também ocupam a cena. Melhor assim.

Ouvi certa vez de uma canária amiga minha uma tese interessante: ela dizia que existem dois tipos de cantora, com útero e sem útero. Não acho que seja necessário explicar nada, mas se você não entendeu, digamos que ela se referisse a mais ou menos emoção, mais ou menos risco, mais ou menos entrega. Tudo isso e mais alguma coisa. Talvez fique complicado explicar tal teoria nos dias atuais, onde algumas cantoras são tão chiques no palco que parecem ter esquecido o útero em casa. De qualquer forma, saiba que nem sempre a palavra mercado definiu o que se iria ou não gravar. Ainda hoje, há quem se guie mais pela palavra *arrepio*. Um brinde às canárias com útero, pois. E vamos a elas.

Começando pela mãe de todas, Elizeth. Quando penso nela, dignidade é a primeira palavra que me ocorre. Que mulher majestosa, grandiosa, consciente de seu poder e de seu espaço no palco. E que pessoa mais adorável no dia-a-dia, com seu jeito tranquilo de dona de casa, nem um pingo de estrelismo, a simplicidade em pessoa. Se todas fossem iguais a Elizeth, que maravilha viver. Divertida e chique ao mesmo tempo, contando lembranças inacreditáveis sobre os pretendentes que faziam um inusitado concurso para ver quem era mais merecedor de seus favores, ou os telefonemas descritivos do amigo Ciro Monteiro, em momentos cruciais... Ela aparece, em meu álbum de retratos, na mesa de um restaurante em Curitiba, estamos jantando juntas a convite de um amigo comum, Aramis Millarch, outra flor de delicadeza. Ela repete para mim a brincadeira maliciosa de sempre: *como vai o nosso marido?* Impossível me zangar com ela. O marido fica sendo nosso mesmo.

Se fosse dita pela Nana, a frase já acenderia um sinal amarelo. Essa minha velha conhecida não tem papas na língua, diz mesmo o que pensa, não está nem aí pra nada. Às vezes se encanta com algum colega, e quando isso acontece, o objeto de seus cumprimentos geralmente fica morto de vergonha: *fodão!* Com ou sem microfone. Com ou sem plateia. "Lá vem os Mutantes com aquelas brincadeirinhas chatas de criança americana..." ela resmungava, nos bastidores de um festival, ao ver o trio se aproximar com um revólver de brinquedo, espirrando água nos incautos colegas. Nana não tem muita paciência, a esta altura da vida – aliás, nunca teve. É um útero em estado bruto quando canta, letal e divina. No trato, aquela rude franqueza. Na minha foto, estou cruzando com ela na feira do Leblon, frutas, peixes e legumes à nossa volta, ela me vê e brada, alto e bom som: "quem tem neto que se foda!" – seu grito de guerra.

Exclamação que seria impensável na boca de minha amiga Alaíde, Lalá para os muito íntimos. Um poço de timidez, como ela mesma se autodenomina, Lalá é antes de tudo um cofre de delicadezas. Talvez pela nobreza, por sua elegância de princesa afro-brasileira, sempre impecávelmente vestida "até para molhar as plantas", segundo um amigo seu. A dicção imprecisa é sua marca registrada, trocando o v pelo f, o b pelo p, o d pelo t, o z pelo cedilha, e por aí afora. Cantando com a alma exposta do jeito que ela canta, é claro que ninguém repara. Mas no meio de uma conversa, quando ela chega e me diz "lempra taquele tia, lá em Três Pontas, eu, focê e a Clementina??" – já sei que vou me divertir um bocado. Principalmente porque a história é mesmo boa, um episódio que envolve umas perucas que ela e *tia* Clementina usavam na ocasião. Lalá é tida como pessoa ingênua e amável pelos colegas; eu já acho que de ingênua ela não tem nada, é pureza d'alma mesmo. Não foi à toa que um belo dia, tendo levado uma fechada de outro motorista, ela disse ao amigo que dirigia o carro: "apre o fitro, que eu fou xincar êle!" – e xingou mesmo, à sua maneira: "seu pôpo!"

Coisa boa era chegar em casa e encontrar um recado de Leny na secretária eletrônica, quando tal ainda se usava. Prazer é seu lema. Ela gosta de viver, gosta de cantar, gosta de comer, gosta de namorar. Ficou mais feliz depois que se mudou para Nova York. Dizia que optou por envelhecer com dignidade, e estava certíssima. Depois desistiu, voltou para o Brasil, e estava certa também, seja o que o coração quiser. Sou fã de Leny. Uma cantora-músico (expressão inventada pela Elis, que também era). Ela está lá no comecinho do meu álbum, e nem sabe. Antes mesmo de nos tornarmos amigas. Eu tenho doze anos e estou escondida atrás da porta, no apartamento de meu irmão recém-casado. Ele está recebendo candidatos para se apresentarem no programa de TV de um amigo seu. O dono do programa coordena os testes. Chega uma família inteira do Méier: pai, mãe, um vizinho que dubla Elvis Presley, uma sobrinha que canta ópera (aparentemente, o orgulho da casa) e uma filha meio gordinha, que toca piano e canta como uma deusa. Ela devia ter uns 16, 17 anos, talvez, mas já era uma artista pronta. Nos dias seguintes, lá em casa, não se falou de outra coisa. As previsões se confirmaram, e ela saiu arrasando já na estreia.

Lá pelos 16 anos, me apaixonei por um disco chamado *Wanda Vagamente*. Tudo era perfeito ali. O repertório, os arranjos, a voz. Wandinha, irmã querida, era tudo o que naquele tempo eu queria ser. Incrívelmente, uma das primeiras pessoas que conheci no *métier*, quando alguns anos mais tarde me tornei profissional. Fui fazer uma pequena participação num show de Bethânia, no Teatro Opinião, e no final, Wanda apareceu e me abraçou: "ouvi sua música classificada no festival, é ótima, Vinicius precisa te conhecer!" E me levou na casa dele, e me apresentou a outras pessoas, e insistiu para que eu conhecesse outro novato que também se classificara no mesmo festival – meu futuro amigo Bituca. Uma generosa sereia chamada Wanda. Apaixonada, mergulhou de cabeça, e jogou para o alto uma carreira promissora. Separada, deu uma volta na vida, virou evangélica; eu brincava com ela e fazia com que cantasse uma música minha que continha a palavra *tesão*, só para vê-la pecar um pouquinho. É hoje uma evangélica com tesão (aleluia!), e continua uma cantora maravilhosa. Temos muito em comum: ela e eu só cantamos uma música – qualquer música – depois de esmiuçar toda a harmonia no violão. Neste ponto, somos ambas alunas de João Gilberto.

Ninguém menos João Gilberto do que Elis. Extremos opostos que Ronaldo Bôscoli, quando foi casado com ela, tentou em vão administrar. "Ronaldo, vi o disco da sua mulher... aquele do chapéu..." Pronto, era o suficiente: Elis achava que João estava de sacanagem com ela – e de repente estava mesmo. Ela dizia que odiava bossa nova. Hoje, provavelmente, adoraria. E depois odiaria de novo. Nunca vi ninguém mudar de opinião tão rápido e com tanta convicção, ao sabor dos ventos. Elis, uma biruta, um catavento.

E também uma voz, o que definia tudo. Foto dela em close, cantando *"Esta Tarde Ví Llover"*, aos prantos. A plateia não entendendo nada, mas aplaudindo em delírio. Elis era casada com César Camargo Mariano, seu diretor musical, e os dois tinham brigado naquela tarde. Falei com ela, depois do show, sobre o quanto tinha me emocionado com essa canção. Ela me explicou, didática: "Pode cantar chorando. Mas tem que chorar afinado!" Não muito tempo depois, fui visitá-la em seu hotel para mostrar algumas músicas. Cheguei com certa dificuldade: o pessoal da portaria estranhou um pouco a minha figura grávida, de biquíni – eu estava vindo diretamente da praia – com um violão na mão Só consegui entrar por interferência de César, que me aguardava na portaria. Elis estava lendo *O relatório Hite*. Tivemos uma longa conversa sobre feminismo, que depois eu veria reproduzida, tal e qual, numa entrevista dela. Acabou que o disco que ela preparava ganhou o nome da canção que deixei com ela naquele dia: *Essa Mulher*. Passamos um tempo nos vendo, aqui e ali, depois nos perdemos de vista um pouco. Natal de 1981, chega um cartão dela, carinhoso. Pensei: que bom, vamos nos rever logo. Um exato mês depois, a certeza de que isso não aconteceria nunca mais, não nesta vida. Ficou o que de melhor aprendi com ela: pode chorar, mas tem que chorar afinado. De uma canária para outra, *con alma*. ～

ÚLTIMOS FLASHES

Partituras: linguagem esquisita, toda feita de signos e mistérios, que teoricamente todo músico digno desse nome deveria ser capaz de decifrar. Na prática, essa teoria se mostra bastante frágil, muito especialmente aqui no Brasil. Temos poucas escolas de música, e a maior parte dos nossos profissionais aprendeu a ler partituras na marra, em bailes, gravações, até mesmo em puteiros, já em plena fogueira, sem direito a erro. Por outro lado, temos músicos geniais, incapazes de ler música, que ainda assim criam harmonias e melodias entortadas de deixar os gringos de boca aberta. Somos assim: o que nos falta em teoria, sobra em intuição, já que precisamos estar sempre reinventando tudo. O Brasil mesmo é uma grande reinvenção, da qual a música é apenas a ponta mais bonita.

Em estúdios de gravação, em matéria de partituras, já vi acontecer de tudo. Nos tempos pré-computador, por exemplo, o copista era fundamental. Havia alguns maravilhosos, geralmente músicos aposentados, como um senhor que morava numa ruazinha próxima à Central do Brasil, cujos serviços eram requisitadíssimos, pois ele copiava as partes com a precisão e a arte de um calígrafo japonês. Outros tinham péssima caligrafia, embora a escrita musical fosse boa, e não era raro você se deparar com alguma anotação enigmática, tipo "trompete com pudim", levando algum tempo para se dar conta de que a recomendação era para o uso de trompete com surdina.

Mas em matéria de objetividade, um amigo meu foi imbatível. Escrevendo uma parte de piano para Tenório Jr., e tendo plena confiança na concepção harmônica do colega, este arranjador escreveu uma parte assim: "Ela é Carioca" – dó maior – DIVIRTA-SE!"

≡

Frases: quantas antológicas, engraçadas, tragicômicas, inesquecíveis, a gente poderia colecionar no meio dos músicos! Gente esquisita, abençoada, iluminada, e cheia de um humor muito especial. Estive pensando, dias atrás, especificamente numa figura de nome Eloir de Moraes, figura misteriosa e folclórica da noite carioca. Eloir foi um baterista pouco ouvido por aí – acho que fui uma das pouquíssimas pessoas a tê-lo visto tocar – mas suas gags se tornaram populares até para quem não conheceu o autor. Sempre elegante, cabelo devidamente gomalinado e falando com sotaque inconfundível, esse personagem foi criador de bordões famosos entre os músicos, como o célebre "frrrenético!" e outros não menos, todos terminando num inevitável "hein???" Foi assim que num show que fazíamos muitos anos atrás, um elenco *all-star*, digamos assim, com instrumentistas maravilhosos, Eloir veio aos bastidores com este comentário sutil: "vanguarrrda, hein???" E em outra ocasião, conta Hélvius Vilela, ao ouvir uma gravação de

Milton e Nana da canção "Sentinela", com suas harmonias evocativas das igrejas de Minas, nosso personagem mandou esta pérola: "som papalll, hein???"

Em homenagem ao Eloir, portanto, aqui vai um pouco, só um pouquinho, da minha pequena coleção de frases preferidas. Atenção, vou abrir a caixinha de joias:

Tom Jobim, apresentando a Carlinhos Lyra o letrista americano Norman Gimbell: "Carlinhos, este aqui é o Norman Bengell".

Paulinho Jobim, no Japão: "Tô com uma preguiça de ter vindo..."

Toninho Horta, em Nova York, enfrentando seu primeiro inverno: "Isso aqui tá mais frio do que Barbacena!"

Edison Machado, nos Estados Unidos, respondendo em inglês sobre quando estaria regressando ao Brasil: "In pócus days."

Novelli, nos anos 1970, invocado com certo crítico musical: "Esse cara não sabe a diferença entre uma semicolcheia e uma lacraia!"

Carlos Lyra, em momento de mau-humor: "A diferença entre uma cantora e um terrorista é que com o terrorista tem negociação..."

Elis Regina, para a plateia, confirmando essa tese, ao demitir a banda em cena aberta, sem aviso prévio ou negociação possível: "Vamos aplaudir estes músicos maravilhosos, porque hoje é a última vez que eles tocam comigo..."

≡

Fama: ó mistério insondável! Nada mais imprevisível na vida, e nem sempre chegando pelas razões que você espera. Quantos de nós já não passamos pelo supremo constrangimento de sermos reconhecidos pela metade, mais ou menos, ou considerados, como já ouvi dizer uma vez, meio famosos. Ser meio famoso é pior do que ser anônimo, e infinitamente pior do que ser famoso por inteiro: você continua meio desconhecido, e nem por isso se livra do assédio. É assim que você está na feira, por exemplo, fazendo as compras da semana, e aquela pessoa fica te olhando insistentemente, até que cria coragem e pergunta: "você não estudou no Andrews? morou em Niterói? é prima de Fulana? trabalhou em alguma novela? te conheço de algum lugar..."

Existem os casos de reconhecimento por assunto. Ouvi certa vez, ainda nos anos1990, o cantor Léo Jaime contar, com bom-humor, sobre a frequência impressionante com que era confundido com outros cantores da mesma praia: "aí, Lobão! Tudo bem, Lulu Santos?" (Hoje isso não mais aconteceria, pois cada um desses amadureceu de um jeito...) Outra modalidade deste reconhecimento pela metade aconteceu pouco tempo atrás com um músico amigo meu: depois de algumas cervejas, numa festa, passou horas conversando com uma linda atriz, pensando que era outra. Vá lá, esta não foi das piores – belas louras confundindo a cabeça desse meu amigo. Podem se consolar com Tom Jobim, que nos anos 1970, vítima de mal-parados semelhantes, respondia: "meu nome é Antonio Carlos e Jocafi, mas pode me chamar de Tom Zé".

Já paguei meu carma neste setor. Minha amiga Leila Pinheiro, a querida Lelê, tem sido uma de minhas intérpretes mais constantes, já que seus shows e CDs volta e meia têm músicas minhas, que ela canta com brilho, paixão e precisão certeira, ô sorte! No particular, a gente sempre se diverte nos encontros, principalmente depois que descobrimos o quanto somos confundidas uma com a outra. Nunca entendemos muito o por quê, já que ela, além de tudo, é mais nova do que eu, e sequer somos fisicamente parecidas. Deve ser identificação por assunto, imagino. A pessoa vê uma de nós e pensa "de onde eu conheço? ah, já sei, aquela cantora de MPB", ou de bossa nova, ou qualquer coisa assim. O fato é que ela já recebeu parabéns pela música que fez para as filhas (Leila??? filhas???), eu já recebi mimos da tripulação de um voo e no final ouvi um "boa sorte, Leila!" e outros possíveis constrangimentos para quem errou – não pra nós, que morremos de rir com isso. Em 2008, no show dos 50 anos da bossa nova, na praia de Ipanema, eu tinha uma entrevista ao vivo marcada com uma TV nos bastidores, antes do espetáculo. Dali a pouco entra Leila no camarim, às gargalhadas. Ela tinha dado a entrevista, e no final o repórter ainda agradeceu, ao vivo: "Muito obrigado, Joyce!"

Tive a sorte de conhecer, bem no início de minha carreira, o incrível cantor que foi Agostinho dos Santos. Era pra mim um mito de infância, aquela voz majestosa no filme *Orfeu Negro*, cantando maravilhas como "Manhã de Carnaval" e "A Felicidade". Ao conhecê-lo, descobri que ele era também gente finíssima, engraçado e bem-humorado, levando numa boa situações surrealistas, como uma em que se meteu em Sampa. Agostinho entrou num táxi, e o motorista era um fã seu incondicional, conhecia todo o seu repertório e estava de fato encantado em atendê-lo. Não só não permitiu que ele pagasse a corrida, como conseguiu convencê-lo a ir até à sua (dele, motorista) casa, para apresentá-lo à esposa: "ela vai ficar felicíssima, é doida por você, não vai acreditar que você andou no meu táxi". A vaidade de artista falou mais alto, e Agostinho aceitou o convite, já que a casa do motorista ficava no caminho, com promessa de que seria levado ao seu destino em seguida. Chegaram à casa do taxista, que abriu a porta e disse para a mulher, triunfante: "olha só quem eu trouxe pra você conhecer!" Ela olhou, olhou, desconfiada, não dizia uma palavra: silêncio constrangedor. Impaciente, o marido insistiu: "é ele, pô, é o Agostinho dos Santos!" A mulher se desculpou, sem graça: "sabe o que é, seu Agostinho, é que eu não tenho visto o Santos jogar ultimamente..."

Pior é quando a fama ainda é pouquinha, e o artista tem a ilusão de que já é quase assim, digamos, um Beatle. Nada mais cômico do que a arrogância ingênua dos iniciantes, típica atitude dos recém-chegados ao beco da fama. Ainda mais nos tempos das celebridades de hoje, tanta fama sem serviço. Não tem nada não, é que nem catapora: depois a gente fica vacinado. Atire a primeira pedra quem não passou por essa doença infantil. ～

UM MEDO

João Gilberto é assim: ele rouba sua alma e põe a dele no lugar. (Dori Caymmi)

Medo de avião, de assombração, de escuro. Medo de injeção, de barata, de lagartixa. De descer escada, de dirigir à noite, medo de cachorro, de rato, de gente. Medo de gente tem muito. Medo de muita gente, multidão; de pouca gente, solidão. Homem que tem medo de mulher, mulher que tem medo de homem, gente que tem medo de gostar de outra gente, medo de não ser gostado, medo de chegar num ambiente estranho e se dar mal, medo de chegar e se dar bem. Os medos hoje são tantos que às vezes acabam virando síndromes. É quando ganham status científico e você tem que chamar o médico, pedir um remedinho, desses que fazem a pessoa pensar que ficou tudo bem. Chamar a mãe não pode mais. Dá medo de virar criança de novo.

Eu também tenho um medo. Um dos meus medos mais antigos chama-se João. Antes não era medo nenhum, pelo contrário: era admiração profunda e apaixonada, adolescente. João Gilberto era meu guru, minha Pedra da Roseta, meus Dez Mandamentos. Mas era tudo isso de longe. Dediquei anos de minha vida a decifrá-lo e aprendê-lo, e consegui. Não fui a única; ao contrário, parece que fiz parte de uma seita joanina, onde muitos, uns mais, outros menos, tomaram seus violões como quem toma sua cruz, e O seguiram até o fim desta procura. Uma ciência estudada em tal profundidade haveria de ter o seu clímax, e esse clímax seria certamente o grande encontro dos iniciados com o Mestre. Com a paciência de um iogue, esperei calmamente por esse momento, sabendo que um dia chegaria. Assim também meus companheiros de seita. Alguns fomos recompensados.

    João estava vivendo no México em 1970, quando lá chegaram Luizinho Eça e seu grupo Sagrada Família, do qual eu fazia parte. A maioria de nós tinha em torno de vinte e um anos. Luizinho era nosso líder, João era nosso deus. Sabê-lo tão próximo excitava loucamente a nossa curiosidade, mas não foi de imediato que ele se aproximou. Primeiro, algumas cuidadosas gestões de aproximação foram feitas, até o primeiro contato. Passadas algumas semanas da estreia, finalmente ele veio a nós.

Ele veio a nós.

Chegou discretamente, conforme seu feitio, em nosso hotel. Devia estar sofrendo de banzo, de alguma saudade do Brasil, alguma vontade de sentir um cheiro de sabonete Phebo, de escutar uma fala brasileira. Ele veio, e veio para ficar. João não dormia. Sentava na posição de lótus, com sua calça de tergal cinza e sapato social de cadarço, e eu ficava imaginando o desconforto dele ali no chão, com o violão em eterno funcionamento, sem parar um minuto. Também não comia, ou não me lembro de tê-lo visto comer. Era um asceta, exceto pelo que fumava. Nunca o vi levantar sequer para ir ao banheiro. Durante o tempo em que esteve ali, nós nos revezávamos ao seu redor, fazendo vocais para a mesma música, que se repetia ao infinito. Finalmente foi embora. Achei que Luizinho estava com ciúmes.

Voltou dias depois e nos levou para um passeio em seu carro. Madrugada na Cidade do México, ruas vazias. Acho que sua carteira de motorista era recente. Ficamos dando voltas no mesmo lugar, ele sabia e dava risinhos abafados, até que um de nós – acho que o Novelli – percebeu que ele se divertia à nossa custa. Daí para a frente, sempre que ele aparecia, levava alguém de carro em incursões misteriosas. Jamais para sua casa: "Heloísa é muito brava", era sua desculpa. João era casado com Miúcha, que de brava não tinha nada, mas isso só descobriríamos muito tempo depois.

Sete anos se passaram antes que eu tornasse a vê-lo. Fui visitá-lo em seu hotel em Nova York, onde eu estava morando e ele também. Passei a tarde com meu guru, e foi quando descobri o medo que ele me dava. Pela primeira vez, vi João pedir comida – um mensageiro do hotel trouxe uns sanduíches do MacDonald's, que ele galantemente me ofereceu. Faltava um garfo, o que não foi problema: "pode pegar na lata de lixo, meu lixo só tem coisa boa". E começou a descrever o que seria um disco meu produzido por ele. "Músico, só americano, baterista principalmente. O único brasileiro que eu vou chamar pro seu disco é João Donato"; "não grava com o Claus Ogerman não, aquela pata choca estragou o meu disco!" – o disco era *Amoroso*, e João não tinha gostado de sua voz na mixagem. E o violão não parava nunca – os violões, pois àquela altura eu já estava com o meu também na mão. O meu novinho, o dele todo remendado com esparadrapo, cordas velhíssimas, e um som deslumbrante. O som dos dedos dele. As harmonias, mesmo as mais ricas, iam se despojando, cada vez mais simples, franciscanas, até se transformarem no que sempre deveriam ter sido, caso ainda não fossem, a versão de João sendo sempre a versão definitiva. Me dei conta de que estava ficando hipnotizada. Foi me dando um medo, era como se eu estivesse prestes a ser engolida por uma jiboia, e até gostando. O instinto de sobrevivência falou mais alto. Guardei o violão na caixa, abri a porta, chamei o elevador. "Espera aí, não vai embora não!", ele veio atrás de mim, correndo.

{Sim, surpresa! ele era capaz de correr... Os amigos de NY daquela época, como Tutty Moreno, contam que várias vezes viram João sapatear, e muitíssimo bem. Correr um pouquinho era o de menos.}

Tarde demais. O elevador já estava de porta aberta, e entrei como se estivesse fugindo da peste. Já na rua, respirei aliviada: eu era eu mesma de novo. Quantas horas teriam se passado lá dentro? Ou quantos dias? Eu perdera totalmente a noção do tempo.

Mais ou menos um mês depois, eu estava no estúdio da Columbia, gravando exatamente com Claus Ogerman, quando me chamaram ao telefone. Quem poderia estar me ligando ali? Atendi – "Alô?" – e ouvi a voz inconfundível: "Eu falei pra você não gravar..." ~

CLIMATÉRIO

Meu amigo Danilo Caymmi me diz que está preparando um disco cujo público-alvo vai "da menarca ao climatério". Com esta brincadeira, na verdade, o que ele quer dizer é que está se dirigindo ao público feminino de todas as idades. Esqueceu a pós-menopausa, as senhoras de terceira idade, que atualmente formam uma das plateias mais visíveis nos shows, teatros e serviços de transportes culturais. Mas não sei se elas teriam muitos arroubos românticos para com o autor deste projeto.

De qualquer forma, a ideia de que alguém ainda se dirija às mulheres em fase de climatério é sedutora. Hoje se sabe que essa fase começa mais cedo do que se pensava, lá pelos trinta e oito, mais ou menos, até o momento fatal da menopausa (que é, para quem desconhece, o evento da última menstruação, não cabendo, portanto, a famosa frase "Fulana está chata porque está na menopausa". Diga, ao invés, que a fulana está no climatério, por mais indigesta que seja a palavra). É também sabido que esse é um momento assaz delicado na vida de qualquer mulher, pois a espécie humana é a única em que a fêmea sobrevive à perda da capacidade reprodutora. Ficamos meio malucas, meio desligadas, meio estressadas, meio esquisitas. Meio gordas, meio frágeis, meio quebradiças. Meio quentes, meio frias, meio secas, meio taradas. Mas às vezes, também, meio aquisitivas, o que pode nos tornar um público-alvo interessante.

Muitas de nós têm dificuldades em reconhecer o temido momento quando se aproxima, e teimam em correr atrás da juventude perdida, ficando às vezes em posição meio ridícula, espremidas em modelitos juvenis. As que dispõem de algum tempo irão à luta pela boa forma, academias de ginástica, musculação; as que possuem vontade férrea entrarão de corpo e alma em dietas exóticas, das quais provavelmente sairão com corpinho de 25 e cara de 60; outras, mais abonadas, procurarão um bom cirurgião plástico. Algumas que dispõem de tudo isso e mais alguma coisa, como por exemplo, notoriedade ou poder, podem se deixar tentar pela possibilidade de serem vistas ao lado de um gato mais jovem. Nada de grave, enfim, se a candidata a futura macróbia for capaz de manter a dignidade, a mente quieta, a espinha ereta e o coração tranquilo. Sem pânico.

Pensando em facilitar as coisas, imaginei uma série de sintomas que nos possam ajudar a reconhecer quando a hora finalmente tiver chegado – até para que possamos nos preparar melhor e fazer a travessia sem traumas. Aqui vai, portanto, uma pequena lista de sinais amarelos, de atenção. Você está no climatério quando...

> **1.** aquele amigo surfista da sua filha diz para o seu marido "oi, cara", e para você, "oi, tia".
> **2.** você, outrora tão despojada, começa a se interessar por cabelos e maquiagens.

3. variante: você, que só dormia, no máximo, de camiseta, começa compulsivamente a comprar camisolas de seda.
4. num dia muito quente, você primeiro olha em volta antes de dizer "ai, que calor", para ver se todo o mundo está mesmo se abanando.
5. você começa a se flagrar agindo igualzinha à sua mãe – e pior ainda, ficando a cara dela.
6. seu médico pergunta "como vão suas regras?", e você responde como vão suas exceções.

Se você disse "sim" à maioria destes itens, parabéns, querida. Uma nova etapa se descortina à sua frente, maravilhosa e promissora. Procure manter a calma até chegar aos 60, quando finalmente você poderá envelhecer impunemente, sem ninguém ficar por aí reparando. Até lá, coragem, e muito boa sorte. Se a coisa ficar difícil, compre o disco do Danilo. ~

DIÁRIO DA MULHER INVISÍVEL

Toda mulher é meio invisível. Uma mulher é como uma mosca, entrando em ambientes desavisados, aquela que tudo vê, que a tudo assiste e guarda para si própria, que mosca não fala. Às vezes, cai na sopa de alguém, um incômodo. Nada que provoque maiores sustos. Uma boa moça – boa mosca?! – deve aprender a se manter sempre linda e de boca fechada, já dizia uma experiente ex-primeira-dama. Pois em boca fechada não entra.

A mulher invisível – a mosca invisível, inseto, barata: mulher barata, curiosa, enxerida, parteira, beata, puta, desapercebida. Posso fazer o que quiser, já que ninguém me vê. Inclusive abrir a boca. ~

MEU PAI HELGE, MINHA MÃE ZEMIR.

A "INDIAZINHA" DIACUÍ: UMA APLICADA ALUNA AOS 10 ANOS DE IDADE.

1967 – UMA ESTAGIÁRIA MALCRIADA NO CADERNO B, EM SEU PRIMEIRO DIA DE TRABALHO.

A VELHA MALUCA É DOIDA!

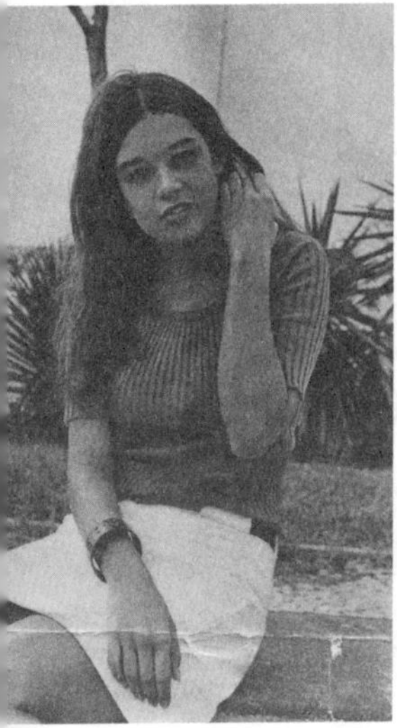

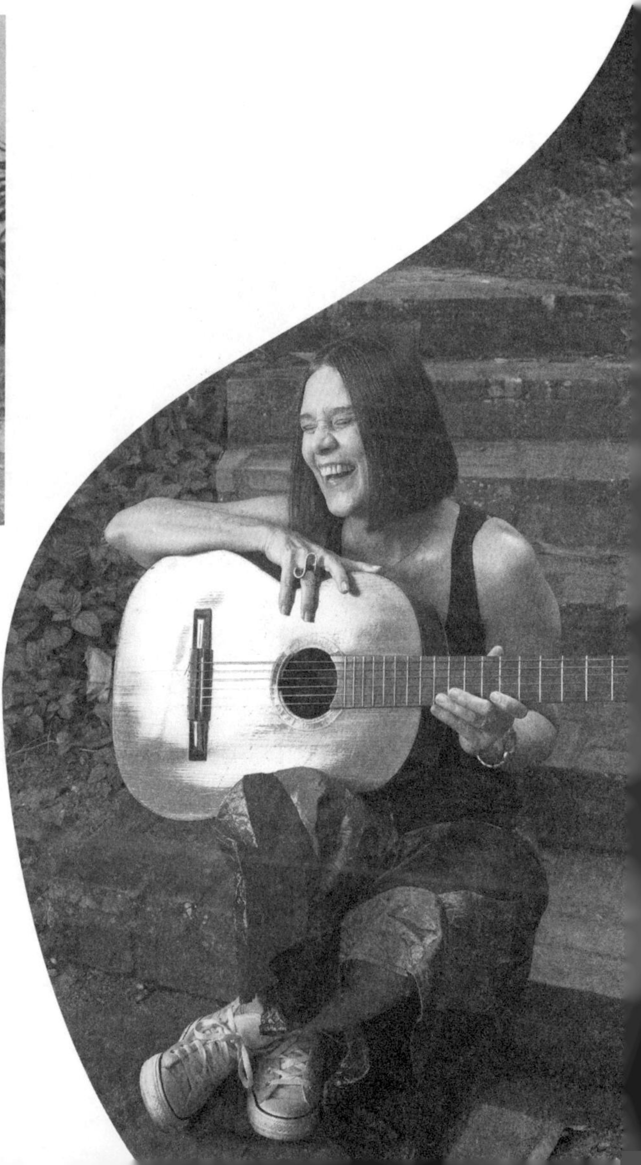

TEATRO SISTINA, ROMA, 1975:
TRABALHAR COM VINICIUS ERA UMA
FESTA, A ARTE DO ENCONTRO EM TODA
A SUA PLENITUDE.

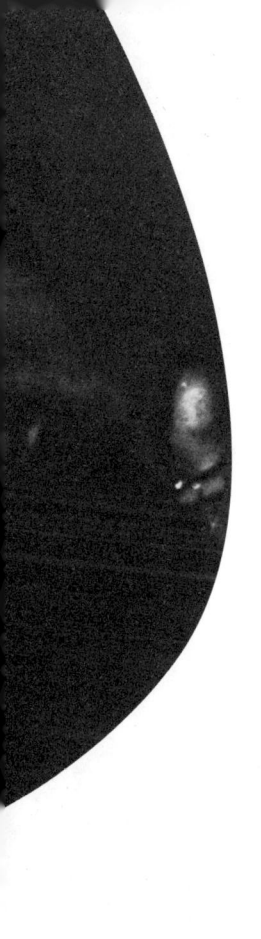

1970: LOUCURAS MEXICANAS, ENTRE MAURICIO MAESTRO E ZECA DO TROMBONE.

1981, COM O BENDITO PARCEIRO JARDS.

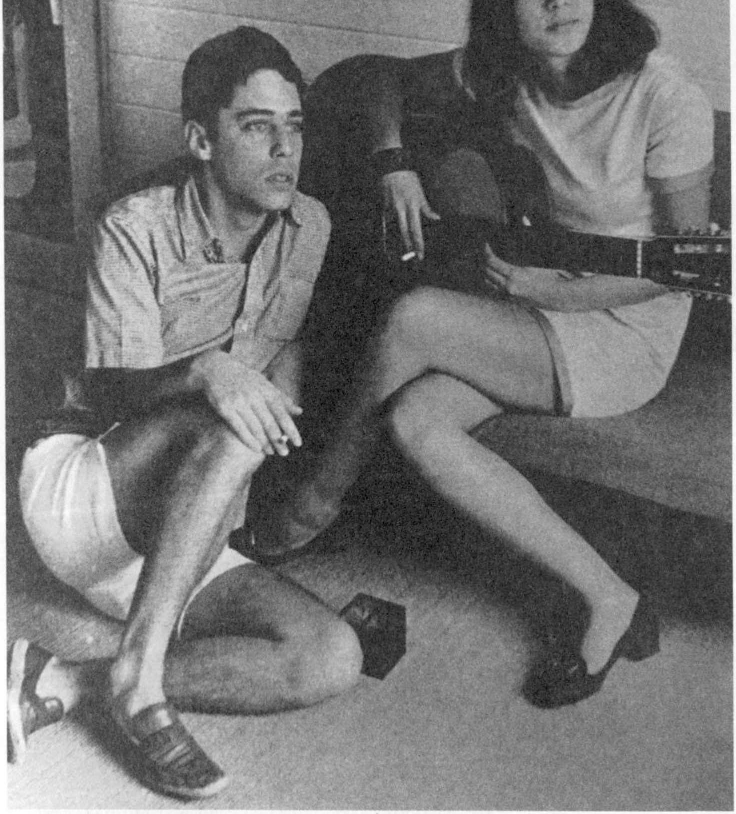

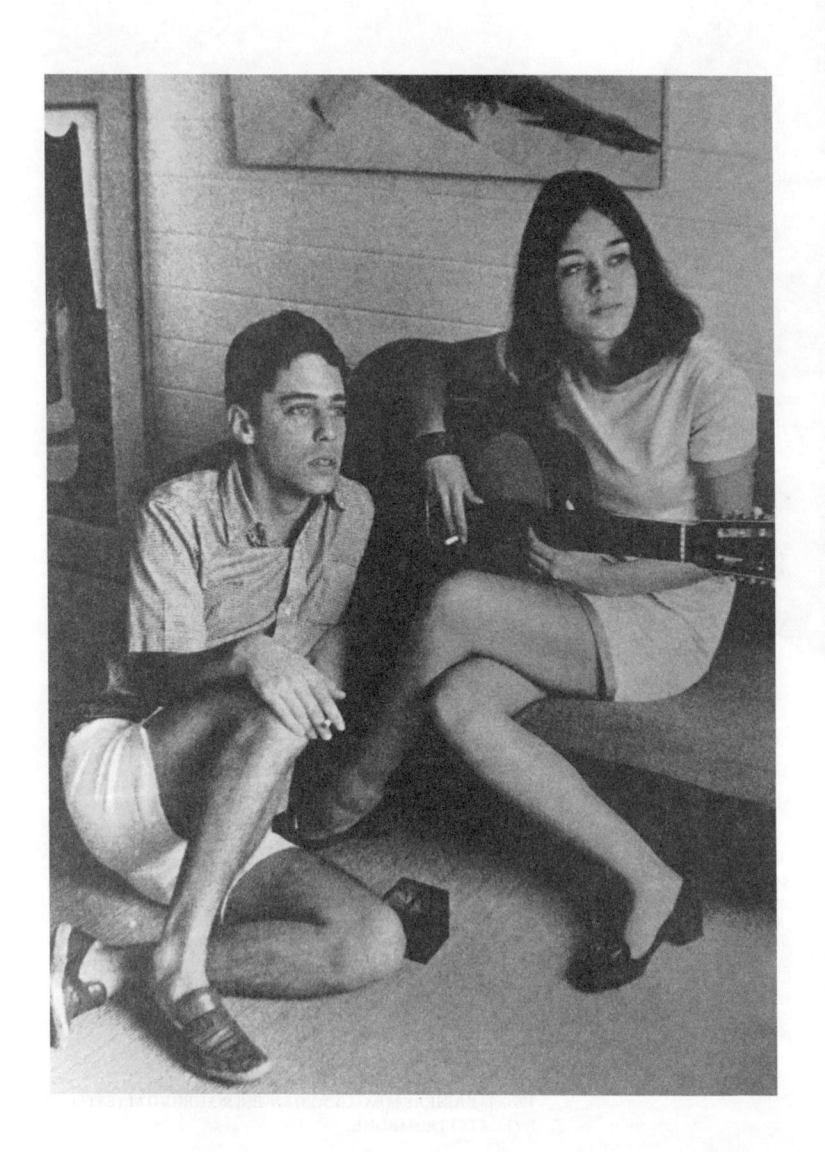

DOIS ARTISTAS INGÊNUOS EM INÍCIO DE CARREIRA, CAINDO NAS ARMADILHAS DA REVISTA INTERVALO.

O GRUPO VOCAL MOMENTO QUATRO, PARCEIRO DE MUITAS AVENTURAS: DA ESQUERDA PARA A DIREITA, ZÉ RODRIGUES (FUTURO RODRIX), RICARDO VILAS (MEU COMPANHEIRO ATEU DE PASSEATA), MAURICIO MAESTRO E DAVID TYGEL.

VINICIUS E OS TRÊS MORAES (DOIS ESTÃO
INVISÍVEIS) EM PUNTA DEL ESTE, ANTES DO
INCIDENTE DA BICICLETA.

PASSEATA – COM CHICO, VINICIUS, ZÉ RODRIX E MAIS CEM MIL PESSOAS – 1968.

1969: SEMPRE DE OLHO NAS HARMONIAS DO DORI!

COM LENY ANDRADE NA ESTREIA DE MEU SHOW
ÁGUA E LUZ – 1981, TEATRO IPANEMA.

1969 – COM NANA CAYMMI, LETAL E DIVINA, EM
PORTO ALEGRE.

"COMPOSITORES TAMBÉM SE CASAM": NELSON
ÂNGELO E NOVELLI LADEANDO SUAS NOIVAS,
NO CARTÓRIO DA XAVIER DA SILVEIRA.

LISBOA, 1969: VINICIUS NA ERA DE CHRISTINA,
TENDO AO LADO EDU LOBO E SUA PARTNER NO
SHOW DO TEATRO VILLARET.

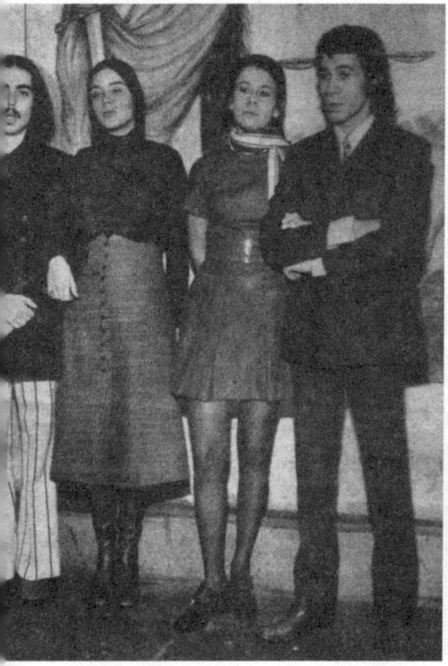

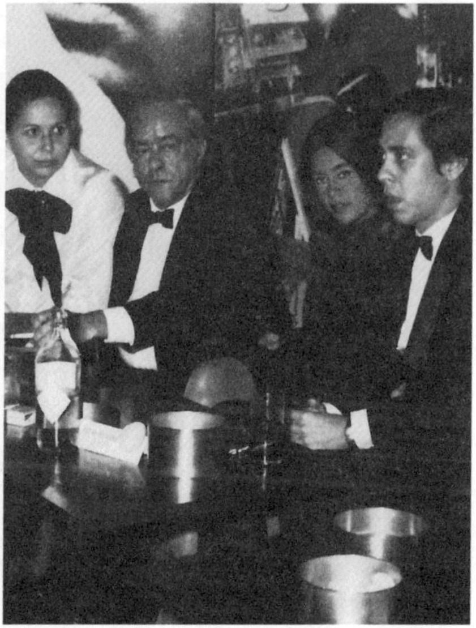

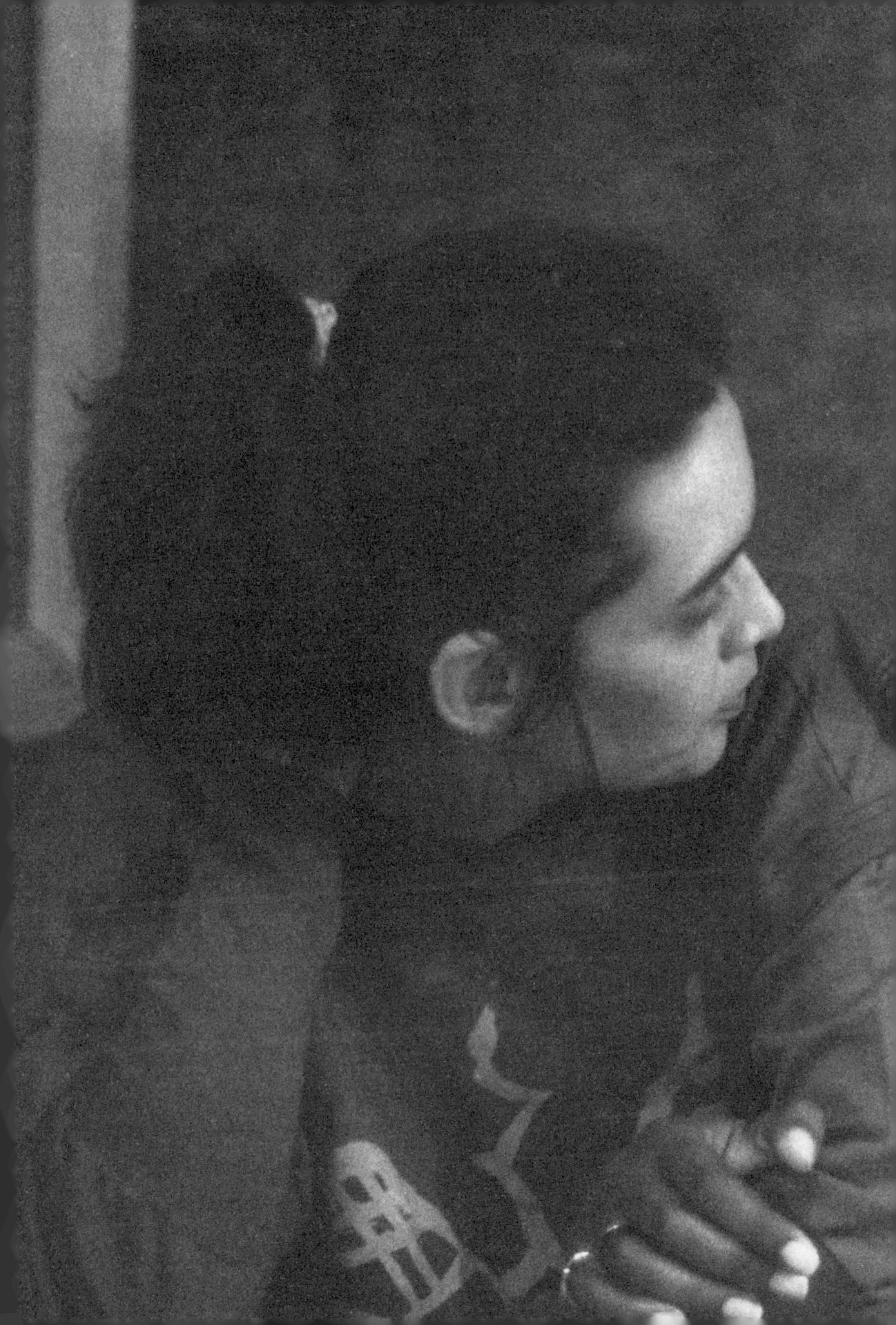

1985, COM BITUCA NO ESTÚDIO, GRAVANDO MINHA PARCERIA COM GERRY MULLIGAN, "TEMA PARA JOBIM".

COM HENRI SALVADOR NO FOUQUET'S, EM
PARIS, 1988, *TRÈS CHIC!*

1990, NYC, NO ESTÚDIO COM JON HENDRICKS
- *WHAT'S A NICE GIRL LIKE YOU DOING IN A
PLACE LIKE THIS?*

MICHEL PETRUCCIANI, NY, 1992 -
CHAMPANHE, SODA CÁUSTICA E JAZZ.

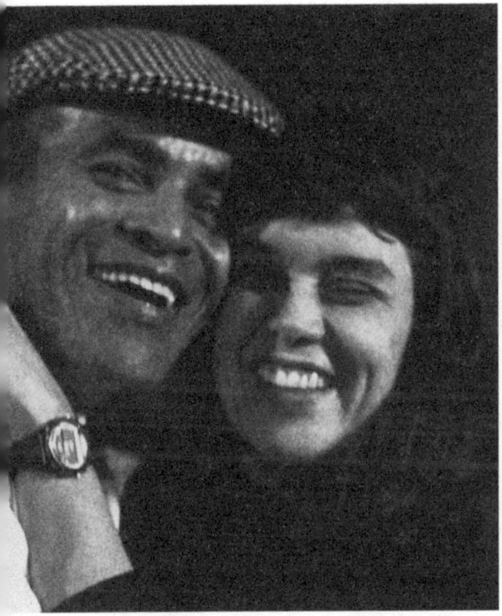

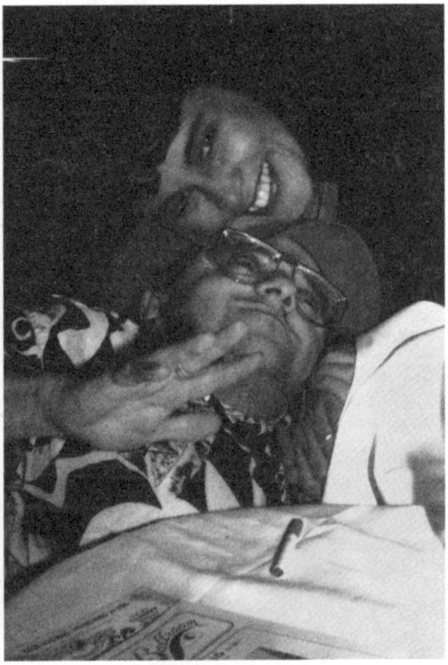

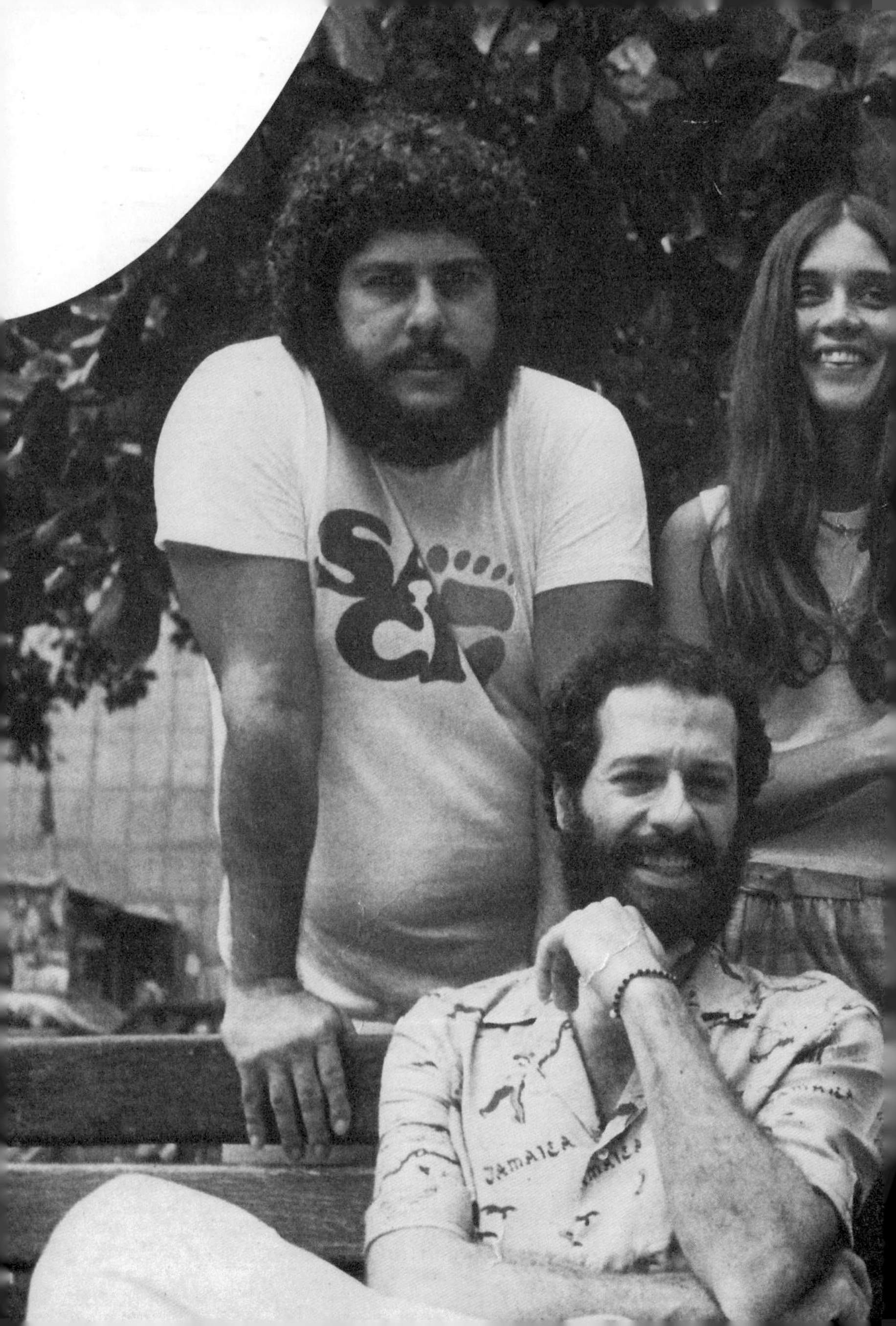
JAMAICA

MOSQUETEIROS DO DIREITO AUTORAL: COM MAURICIO TAPAJÓS (UM GORDO QUIXOTE, VESTINDO A CAMISA DA SACI) E PAULINHO DA VIOLA (TOMANDO SORVETE); SENTADOS, JOÃO BOSCO E SÉRGIO RICARDO.

1980, GRAVANDO E EXPLICANDO A MAURO
SENISE O QUE É FEMININA.

1968, "DESAFIANDO A VIDA", COMO DELA
DISSE O AMIGO HERMÍNIO.

1978, RETRATO DA ARTISTA QUANDO JOVEM.

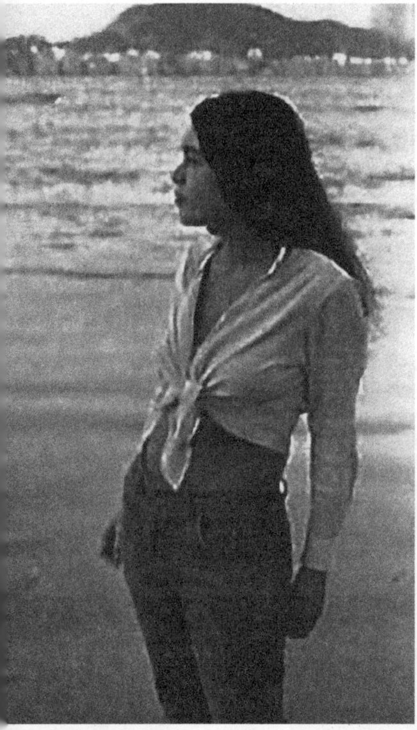
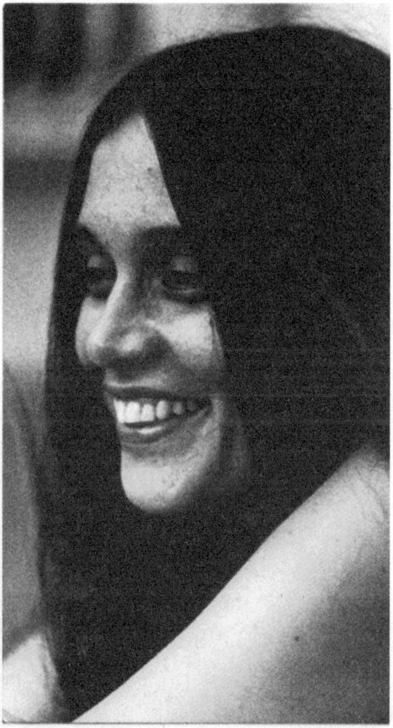

Parte 2

TUDO É UMA CANÇÃO

— Agora conte-me tudo com suas próprias palavras — ele disse. Não posso imaginar que outras palavras eu poderia ter usado além das minhas.

GRAHAM GREENE, *Fim de Caso*

Parecia um estranho festival

CONCURSOS

Detesto. Nunca me senti bem em nenhum tipo de competição, fugia delas no colégio, mas afinal fui parar num ramo altamente competitivo, que é o da música. Nunca dei muita sorte em concursos, é verdade. No início da minha carreira (comecei na época dos festivais) éramos todos um bando de amigos que se encontravam quase que diariamente, um mostrando as músicas novas para o outro, testando fórmulas e limites, desafiando o mundo. Éramos filhotes da bossa nova, netos do samba dos anos 1930, estávamos reinventando a roda e sabíamos disso. Nesse ponto, era bem bacana.

Mas o que era saudável competição, a partir do aparecimento dos festivais – os prêmios em dinheiro, a popularidade, a exposição – tudo isso junto fez com que mudassem os parâmetros, e de repente aquele seu amigo já não era tão seu amigo assim. As invejas pipocavam, o clima ficava pesado. Não era sempre que isso acontecia, é bem verdade. Mas principalmente a partir do surgimento da Tropicália, o racha foi inevitável.

{Sim, estou falando dos pré-históricos anos 1960...}

Como eu disse, participar de concursos nunca foi o meu forte. Cantar em estádios como o Maracanãzinho, então, era puro pesadelo. O som pavoroso, a turba furiosa, pronta para vaiar ou aplaudir sem que a gente entendesse o critério... Algumas pessoas se deram bem ali, conseguiram segurar a onda e fazer uma boa apresentação, apesar de tudo. Eu nunca fui uma delas. Minhas performances no ginásio Gilberto Cardoso estão entre as piores da minha vida.

A primeira a gente não esquece. Era para ser uma espécie de aquecimento para quando eu fosse cantar (*defender*, como se dizia na época) minha própria música. Fui escalada por meu amigo Jards Macalé para apresentar, junto com os meninos do Momentoquatro, a música dele, "Sem despedida", logo na primeira noite. Em retribuição, ele me acompanharia ao violão quando eu fosse cantar minha música, "Me disseram", na eliminatória seguinte.

Macao era um aplicado aluno de orquestração do maestro Guerra-Peixe, e o escolheu como arranjador para sua canção. Sem muita noção de quem deveria chamar, totalmente desinformada, fui atrás do meu amigo, e escolhi o mesmo arranjador que ele. Foi nosso primeiro erro. Guerra era de fato um grande arranjador – mas não para músicas no estilo das nossas. No primeiro ensaio com a orquestra, sentimos logo que os arranjos não eram apropriados. Eram grandiloquentes demais, grandiosos demais, quase sinfônicos, quando as músicas pediam outro clima – a de Macao, uma modinha; a minha, um samba-canção de inspiração bossanovista. Erro nº 1: nunca escolha um arranjador com quem você não se identifique.

Constatado o desastre iminente, eu e Jards fomos à casa do maestro Guerra tentar expor nossas ideias para simplificar o arranjo. Mas o maestro era uma fera e nos pôs para fora aos gritos. Ficamos passados. Tentei com a organização do festival trocar de arranjador, mesmo em cima da hora, e pedi a Oscar Castro Neves (muito mais apropriado para a música em questão) que me quebrasse esse galho, o que ele, em nome da ética profissional, não aceitou. E assim fomos para o sacrifício, sabendo que estaríamos de antemão desclassificados. Erro nº 2: numa hora dessas, demita o arranjador e faça de voz e violão.

Para piorar, "Sem despedida" foi preparada um tom acima do que seria o ideal para minha voz, para melhor se adequar ao arranjo vocal do Momentoquatro. Eu cantava a música inteira uma vez, na segunda eles entravam, e ao final, depois de uma pausa dramática, eu cantava sozinha a última frase, uma oitava acima, ai de mim: "Por toda vida é só teu meu coração." No ensaio, em casa, dava tudo certo. Já no festival... Erro nº 3: jamais cante num tom que não é o seu, principalmente num ginásio com trinta mil pessoas. Ao vivo, minha voz falhou no momento crucial.

No dia seguinte, impávida, entrei para cantar minha música, dessa vez me sentindo mais segura, apesar do arranjo impróprio. Pelo menos o tom era o meu mesmo. O público me recebeu melhor do que eu esperava, dadas as circunstâncias da véspera, disposto a me dar mais uma chance – o que só durou até que cantei a primeira frase: "Já me disseram/ que meu homem não me ama..." Foi o suficiente. O Maracanãzinho explodiu em vaias na mesma hora, e cheguei ao fim da canção de cabeça erguida, mas piscando para não chorar. Entendi ali naquele minuto por que Bethânia, maior incentivadora da minha inscrição no festival, não aceitara defender minha música quando eu a convidei. Ela de boba não tinha nada, e já estava prevendo o que viria.

Nas semanas que se seguiram, Jezebel era pouco para o que alguns jornais diziam da minha modesta pessoa. Demorou um tempo até que as pessoas se acostumassem com a ideia de uma mulher cantando coisas de mulher. Mas isso é uma outra história.

E tinha eu dezenove anos de idade... ~

FESTA!

Era no tempo dos festivais.

Organizado por Augusto Marzagão, o Festival Internacional da Canção – "o Festival da Canção Popular/traz a canção para o povo cantar..." como dizia a grandiosa música de abertura – era uma resposta da até então modesta TV Globo aos festivais da poderosa TV Record. O festival paulista era o mais cobiçado pelos compositores: lançava sucessos, criava ídolos, traçava rumos e estabelecia tendências como o Tropicalismo. Já o festival carioca, por ser também internacional, apostava no glamour: atrações do mundo inteiro chegavam para competir com a canção vencedora da parte nacional, aproveitando o sempre deslumbrante cenário do Rio de Janeiro.

{Estou, naturalmente, falando da segunda metade dos anos 1960 do século passado...}

Ali, no Maracanãzinho, Quincy Jones foi vaiado, pelo simples fato de ser o representante norte-americano. Ali Nana Caymmi foi também vaiada, cantando a maravilhosa "Saveiros", por um público que preferia a mais fácil "Dia das rosas", defendida por Maysa. Mais adiante, Tom e Chico seriam também vítimas da intolerância do público estudantil, que não entendeu a sutileza da canção de exílio que era "Sabiá", e preferia o discurso mais direto de Geraldo Vandré. E por aí seguiu, e foi por ali que comecei.

Minha canção "Me disseram" não chegou a ser selecionada para o festival da Record naquele ano de 1967, e com isso perdi a chance de estar onde alguns amigos meus já estavam, como Caetano e Gil. Em compensação, fui selecionada e fiz amigos novos no FIC do Rio. Minha amizade com os mineiros, como Milton Nascimento e Toninho Horta, por exemplo, começou ali, e já dura uma vida.

Sobre minha desastrada performance naquele festival, já contei aqui. Mas falta contar a parte glamorosa que sim, existia, e muito. Havia de fato uma interação entre os artistas nacionais e os estrangeiros, muitas festas oficiais e outras mais alternativas. Eu ainda não era ninguém naquele mundo musical: era uma simples estagiária do *JB*, estudante da PUC, estava apenas começando a conhecer as pessoas que seriam de fato importantes na minha estrada – mas me animei a servir de anfitriã numa festa dessas.

Depois de passada a fase nacional, vencida por Gutemberg Guarabyra (nosso amigo Gut), as coisas do lado de cá se acalmaram, e começou a semana internacional. Todos nós, os nacionais, já estávamos liberados para cuidar da vida pós-festival. Um casal amigo meu tinha um lindo apartamento em Ipanema, que foi gentilmente oferecido para que convidássemos novos e velhos amigos. Como eu morava com minha mãe num modesto sala-e-dois-quartos no Posto Seis, que não daria conta de uma reunião de tal porte, aceitei, agradecida, a generosa oferta.

E os amigos vieram, muitos, e o som rolou até de manhã. A tal ponto que, num certo momento, havia gente tocando em todos os cômodos da casa, com a possível exceção do quarto onde dormiam as filhas dos anfitriões.

Eu já conhecia o francês Pierre Barouh da casa de Bethânia, e por um triz não apareci no documentário que ele fazia sobre a música brasileira daquele momento. Ele era um fervoroso entusiasta de minhas primeiras composições, e quando seu parceiro Francis Laï – autor do tema central do filme *Un homme, une femme* (aquele *sabadabada, sabadabada...*, que a gente na época cantava como *sábado ela dá, sábado ela dá...*) – enfim, quando Francis Laï chegou à nossa festa, Pierre quis que ele conhecesse algumas das minhas canções.

Sim, claro, como não, e procuramos (eu com o violão na mão) um lugar apropriado para que isso acontecesse. O problema era a casa cheia. A sala era inviável: tinha um belo piano de meia cauda, que estava ocupado por outro Francis, o Hime, com a noiva Olivia e seu parceiro Vinicius de Moraes. Tentamos os quartos: num, dormiam as crianças, no outro, Caetano estava mostrando suas músicas novas para alguém que não lembro. Fomos para a cozinha, mas a ideia era boa demais para alguém já não ter pensado antes. Lá estavam Bethânia e Rosinha de Valença, numa sessão de sambas antigos. Restou o banheiro social, um pequeno lavabo, onde, sentadinha no vaso para melhor equilibrar o violão, consegui mostrar para os amigos franceses, os dois agachados no chão, minha produção de iniciante.

E a noite estava apenas começando.

Pessoas entravam, tocavam, cantavam, comiam, bebiam, saíam, tornavam a voltar com outros músicos, num vaivém sem fim. Já ia longe a festa e muita gente já tinha ido embora quando chegaram Luizinho Eça, Edu Lobo e Johnny Mandel. Eu ainda não conhecia nenhum dos três, que ao longo da vida se tornariam grandes amigos e/ou parceiros meus – mas na arrogância dos meus dezenove anos, não resisti à tentação de me exibir um pouquinho, pegar o violão e tocar, assim, displicentemente, como se fosse por acaso, o "Estudo nº 1", de Villa Lobos (eu era aluna de Jodacil Damaceno, grande concertista clássico, e ainda estava com aquilo na ponta dos dedos). Fui até a parte da cadência, em que eu sempre me atrapalhava um pouco, mas ainda assim acho que impressionei meus futuros amigos...

A festa acabou de manhã, com Johnny Mandel tocando sua linda *"Emily"* ao piano, enquanto pela janela via-se o sol nascendo, glorioso, sobre o mar de Ipanema – e juro, nunca me esquecerei desse acontecimento na vida de minhas retinas tão fatigadas.

Parece um exercício de *name dropping*, eu sei. Mas foi tudo verdade. Os dias é que eram assim. ~

LE BRUIT DES VAGUES

Todo mundo sabe que sempre fui contrária a certas práticas comuns entre colegas da minha época, aliás cada vez mais comuns ainda, hoje em dia. Coisas que são feitas para marcar uma "atitude", em vez de focar na música em si, que deveria ser o ponto central de tudo, e que hoje em dia definem tanto o conceito de "celebridade". Mudam os tempos, mudam as mídias, e essas invenções não mudam, pelo contrário, vão se aperfeiçoando... Mas houve uma vez, em 1969, em que eu quis fazer, digamos, um experimento antropológico.

Foi assim: eu estava com um disco novo para sair na gravadora Philips. Havia um certo cantor francês que tinha feito enorme sucesso no Festival da Canção daquele ano, e pertencia ao elenco da mesma gravadora. Chamava-se Romuald e estava bombando no Brasil com uma valsinha de lavra própria, chamada "Le bruit des vagues". Pois então, os gênios do departamento de marketing da gravadora (que ainda não se chamava departamento de marketing) vieram com a indecorosa proposta: uma sessão de fotos na praia, eu e o amigo francês, simulando um namoro secreto. O detalhe é que eu sequer conhecia o cidadão. Mas topei.

Por quê? Por curiosidade. Pela graça da experiência. Eu queria saber como funcionava esse truque, que eu já tinha visto *N* vezes ser feito entre o pessoal da Jovem Guarda. Por outro lado, eu tivera já a péssima experiência de passar por isso, eu e o Chico, à nossa revelia e sem nada que justificasse a fama sem proveito. Portanto, o assunto me interessou. Queria ver por dentro como se montava tal armação, e achei que poderia até ser divertido.

Tive o cuidado de ligar para o meu então namorado em Belo Horizonte antes de fazer a sessão de fotos, para que ele não tomasse um susto quando a revista saísse. Ouso dizer que ele não deu a mínima, como adolescente desencanado que era, mais preocupado com seus acordes e sons. Fez ele muito bem, porque daquele mato não sairia mesmo coelho algum. Eu achava o colega francês bastante sem gracinha.

As fotos foram feitas sob uma única condição: beijo na boca, nem pensar. E não rolou mesmo. O que rolou foram as únicas fotos minhas de biquíni na imprensa, em toda a minha vida – o que me lembrou o comentário de uma velha amiga: a gente era magra e não sabia... ~

CONCURSOS, parte 2

Pois.

Continuando o assunto "festivaias", eis que depois de algumas passagens mais ou menos bem-sucedidas por outros eventos – sim, eu tinha dezenove, vinte anos, e não ia me intimidar por tão pouco... Não era "coragem" nem "raça" (quem me dera!), mas simples ingenuidade, irresponsabilidade de juventude. E assim foi que em festivais posteriores "defendi" músicas de amigos como Toninho Horta, Danilo Caymmi, Élcio Costa (irmão de minha amiga Sueli), Nelson Ângelo, Irinéia Ribeiro e outros de quem não me lembro. E minhas também, como "Copacabana velha de guerra", parceria com Sérgio Flaksman, que apresentei no famoso FIC, o Festival Internacional da Canção, feito pela TV Globo, que rivalizava com o da TV Record em importância. Era o Maracanãzinho de novo, mas dessa vez até que não me saí mal.

{Nesse festival, de 1969, minha amiga Elis fazia parte do júri, e se apressou a gravar minha música, que ali tinha um belo arranjo de Luiz Eça. Ela não perdia tempo quando gostava de alguma coisa...}

Havia festivais para todos os gostos, de que todo o mundo participava: festivais universitários, televisivos, interioranos, de cidades menores como Juiz de Fora (onde, novamente com o Momentoquatro, tive bastante sucesso cantando "Litoral", de Toninho Horta e Ronaldo Bastos) ou cidades maiores como

Belo Horizonte – neste, em 1969, eu e Toninho ficamos em 5º lugar com a música dele, "Yarabela", e seria (o festival, não "Yarabela") talvez o marco inaugural de um movimento que dali a três anos estaria imortalizado em disco, com o título de uma das canções concorrentes: "Clube da Esquina". Ali também conheceríamos pela primeira vez dois talentosos garotos beatlemaníacos de dezessete anos, Lô Borges e Beto Guedes. Só na hora em que pisaram no palco, o público descobriria que se tratava de dois rapazes, pois a apresentadora anunciara "as compositoras Helô Borges e Beth Guedes". Coisas da época.

Passou o tempo dos festivais. Casei, tive filhas, dei um tempo na música, depois me separei e voltei a me entender com meus sons. Eu largara a música, mas a música não me largara, e assim viajei pela Europa e pela América do Sul com Vinicius e Toquinho, gravei na Itália, voltei ao Brasil, fiz parte do Academia de Danças com Egberto Gismonti, fui para Nova York e gravei lá também... A vida continuava.

E eis que voltando ao Brasil em definitivo, já casada de novo e com mais um bebê em casa, assinei um contrato com a EMI-Odeon para gravar um disco todo meu. A compositora estava bombando, eu estava tendo minhas músicas gravadas por todo o mundo que importava naquele ano de 1979 – Elis, Milton, Ney, Bethânia, Nana e mil outros mais. A gravadora achou que valeria a pena me contratar, e em janeiro de 1980 entramos em estúdio para gravar o que seria meu disco-emblema, *Feminina*.

Entre as músicas do repertório havia uma *berceuse* (letra minha sobre música de Maurício Maestro) feita durante a temporada na Itália, com saudades de minhas (então) duas meninas, que estavam no Brasil com a avó. E eis, mais uma vez, que a Globo resolveu patrocinar um novo festival. Eu não tinha a menor ilusão a respeito, nem pretendia fazer mais parte daquilo. Mas por insistência da gravadora topei inscrever uma música. Só que praticamente todo o repertório do *Feminina* já havia sido gravado por algum outro artista antes: "Mistérios" por Milton, Nana e Boca Livre, "Feminina" pelo Quarteto em Cy, "Da cor brasileira", por Bethânia, "Essa mulher", por Elis, e por aí vai. Não havia mais quase nada inédito que pudesse ser inscrito. Sobraram "Aldeia de Ogum", um tema instrumental, sem letra, que não poderia, por motivos óbvios, participar – e minha despretensiosa *berceuse*, "Clareana".

{Nessa hora os escritores americanos fazem uma pausa dramática e dizem "o resto é história". Vou pular essa parte.}

E vamos ao Maracanãzinho, já na final do festival MPB-80. A esta altura, "Clareana" já era um sucesso nacional, que pipocara espontaneamente desde a primeira apresentação nas eliminatórias. Tocava direto no rádio (o famoso jabá ainda não havia se tornado uma instituição semioficial), eu aparecia em todos os programas de TV, enfim, era sucesso real e absoluto, um legítimo sucesso pop. Pelas razões erradas, talvez, pois não refletia exatamente a minha música, mas era.

Na véspera da final eu estava passeando com minha filha menor na pracinha perto de casa, quando encontrei meu vizinho Oswaldo Montenegro, também concorrente. E tivemos uma conversa engraçada. Eu disse, e ele concordou, que esperava sinceramente não vencer o concurso, para não ficar com o estigma do festival na carreira, que a música que eu queria fazer não tinha nada a ver com aquilo tudo (e ele dizendo "eu também acho, eu também acho..."), enfim, um papo bem alternativo mesmo.

Corta pro Maracanãzinho na noite seguinte. Quando meu nome foi anunciado, o ginásio veio abaixo – e desta vez, de aplausos. Na hora em que subi ao palco, lembro claramente que pensei mais ou menos o que Julia Roberts disse quando recebeu um Oscar: "Vou aproveitar ao máximo este momento, que não sei se irá se repetir na minha vida." E assim, em vez de ficar fria e fazer uma apresentação profissional, deixei deliberadamente que a emoção tomasse conta de mim.

E deu no que deu: a acústica traiçoeira do Maracanãzinho, uma briga que estourou de repente nas arquibancadas, com parte da plateia chamando a polícia, a orquestra que não se ouvia, o som do meu violão que também tinha sumido – e lá se foi por água abaixo a maravilhosa apresentação. Entrei totalmente em outro tom, um desastre quase completo, salvo pelo pessoal do Viva Voz, grupo vocal que me acompanhava na canção. Na segunda vez, retomei o tom correto, mas o mal já estava feito. Só que, incrivelmente, ninguém reparou. A canção conquistara o público de tal modo que minha péssima performance passou despercebida, ainda bem. Posso dizer em minha defesa que foi a única vez que isso me aconteceu, embora aconteça com frequência nas melhores famílias. Mas foi o suficiente para me deixar chateada. Eu sabia que não tinha ido bem. E aprendi outra lição para a vida: emoção sem controle no palco – evite.

O festival foi vencido por meu vizinho, o que muito me aliviou na ocasião, mas não adiantou nada: até hoje tem gente que pensa que quem ganhou fui eu... ~

INDEPENDÊNCIA OU MORTE
(A vida sem gravadora)

O sucesso de "Clareana" no festival foi espontâneo e correu como um rastilho de pólvora. No dia seguinte mesmo da minha primeira apresentação, os ouvintes ligavam para as rádios pedindo a música – que nenhuma emissora tinha, pois o disco ainda não havia saído oficialmente. Às vezes o próprio locutor tentava cantar a canção, para satisfazer seu público. Foi uma loucura, dois anos de absoluto sucesso e muito trabalho. Ganhei prêmios, virei a favorita das crianças (e de suas mães). Recebi elogios inesperados que vinham desde Dom Helder Câmara até os concretistas de São Paulo. Enfim, foi mesmo um sucesso. Empolgada, juntei o que eu vinha ganhando de direitos autorais com a grana resultante da venda de um terreno do Tutty na Bahia, e começamos a construir uma casa no Recreio, nosso primeiro teto próprio.

Eu achava estranhas algumas posturas da EMI, coisas às quais eu não estava habituada. Certa vez questionei o motivo pelo qual meu cachê num famoso programa de TV diminuíra de valor, e recebi de um executivo uma resposta singular e para lá de franca: "Esse programa ainda paga para você aparecer nele; os outros, nós pagamos para que você faça." Rude franqueza.

Até que um dia, ao receber em casa o suplemento mensal da EMI, vi um disco de uma cantora totalmente desconhecida cujo repertório incluía "Clareana". Curiosa, fui ouvir, e não acreditei quando vi que ela cantava por cima do meu playback, com meu arranjo, meu violão, minha voz nos vocais de apoio e até mesmo as risadas de minhas filhas no final. O produtor, um certo Mr. X, apenas retirara minha voz e pusera a da sua produzida no lugar. E assim eram todas as faixas do disco, com ela cantando sobre playbacks de outros artistas da mesma companhia, impunemente. Um jeito barato de fazer uma produção certamente prometida, mas que de outra forma não existiria...

Procurei a gravadora para me queixar e recebi a notícia de que eles podiam, sim, fazer aquilo, baseados num documento que os músicos assinavam no estúdio cedendo todos os direitos. Mas eu e minhas filhas não havíamos assinado nada: eu por ser a artista, e não um músico contratado; elas, por serem duas crianças. Procurei um advogado, que providenciou para que o disco da tal cantora fosse retirado de mercado. Inocentemente, achei que não haveria retaliação, já que eu estava apenas exigindo o que era justo. Mas não deu outra. Logo a seguir, depois de lançado o segundo LP (já pronto), a gravadora me dispensou.

O que aconteceria depois seria totalmente surreal – e cruel. Algumas vezes eu seria procurada por alguma gravadora *major*, que me mandava flores e marcava uma reunião através da secretária de algum figurão. Ao chegar lá, seria deixada de molho por horas, sem que o mesmo figurão que marcara a reunião me atendesse. Saía de lá humilhada, exausta e sem entender nada. Por que faziam isso comigo? Em outra ocasião, cheguei a ser praticamente contratada pelo jovem diretor artístico de uma grande gravadora, que obviamente ignorava o complô. Ele chegou a me apresentar um grandioso plano de marketing para nosso futuro trabalho. Gravei uma faixa para ser incluída numa novela e levei o contrato para casa. Ao devolvê-lo, assinado, soube que não valia mais: o presidente da companhia voltara das férias e desautorizara seu A&R. Eu estava marcada.

Depois de uma longa conversa com Tutty, decidimos fazer um disco independente. Outros amigos estavam indo por esse caminho, alguns com grande sucesso, como o Boca Livre, que chegara ao impressionante número de 100 mil discos vendidos – de mão em mão. Juntando o pouco dinheiro que tínhamos (não esquecer que estávamos também construindo uma casa), alugamos um estúdio em Bonsucesso, e contando com a generosidade de músicos amigos, todos tocando sem cobrar nada, gravamos o disco *Tardes cariocas*.

Meu plano para esse disco era colocá-lo em alguma gravadora menor para distribuição – esse sempre o ponto fraco dos independentes. Consegui com um selo importante de São Paulo um contrato em que eles me dariam fabricação, distribuição, divulgação e ainda um adiantamento que cobriria pelo menos as despesas que eu tinha tido e pagaria os músicos. Quando cheguei a SP para sacramentar o acordo, fui informada de que a companhia desistira. "Por quê?" perguntei, ingenuamente. O funcionário que me atendeu confidenciou que a gravadora recebera uma visita pessoal de um certo Mr. X, e que a partir dali os planos haviam mudado.

Ainda assim eu não conseguia acreditar que houvesse de fato um plano organizado contra minha modesta pessoa. Eu não era ninguém tão importante, apenas uma cantora/compositora fazendo, ou tentando fazer, seu trabalho. Em 1983, *Tardes cariocas* foi lançado afinal, às minhas próprias custas e com relativo sucesso: fizemos um show lotado no Circo Voador, minha decisão de fazer um disco independente foi página inteira nos principais jornais, e para quem não sabia de nada, ficou parecendo a opção corajosa de uma artista para lá de alternativa. O disco jamais se pagou, mas pelo menos fizera barulho.

Os anos iam passando e eu via meu trabalho encolher de tamanho. Os shows – que, de tantos, chegavam a ser dispensados quando eu me sentia com pouco tempo para minhas filhas – estavam escasseando assustadoramente. Ter uma gravadora, afinal, se mostrava de suma importância. Eu via meus colegas de geração ganhando rios de dinheiro, tendo suas músicas *bombadas* nas rádios por meio de uma prática da qual eu até então não tomara conhecimento e que atendia pelo singelo nome de "jabá" ("este programa ainda paga para você aparecer nele..." etc.) Enquanto isso, lá em casa, a situação não era das mais promissoras. Estávamos tocando na noite, sem empresário ou escritório de produção, e vivendo a dura realidade de ter um disco independente nas mãos sem conseguir distribuir, por falta de infraestrutura. Eu definitivamente não era uma mulher de negócios.

    Sentamos, eu e Tutty, para discutir a situação. Não queríamos mais passar por aquilo. Aos 36 anos de idade, com a responsabilidade de quatro crianças e uma casa recém-construída, achávamos que não estávamos indo a lugar algum daquele jeito. Ele decidiu, portanto, estudar para fazer concurso para o naipe de percussão da Orquestra Sinfônica Brasileira, para que tivéssemos ao menos um dinheiro regular entrando, e voltou a tocar com outros artistas da cena pop – coisa que, por vontade própria, não faria mais. E eu decidi radicalizar e fazer shows de voz e violão, de menor custo. Mas também não queria cair na rotina do barzinho. Por isso, depois de alguma pesquisa, cheguei ao nome do diretor Túlio Feliciano, que até então eu não conhecia pessoalmente, para com ele criar um espetáculo que fosse ao mesmo tempo simples e sofisticado. Assim foi que juntos fizemos o show *Quadrantes*, misturando música e artes plásticas, com cenário de Alex Vallauri que eu grafitava em cena, a cada noite. Estreamos em temporada de três semanas no teatro Ipanema e viajamos, com violão e latas de tinta spray, por várias capitais. Esse espetáculo deu início a uma parceria profissional entre mim e Túlio que duraria sólidos dez anos, em que aprendi muito sobre palco, roteiro e outros detalhes que eu até então desconhecia.

O álbum *Tardes cariocas* acabou me abrindo portas inesperadas. Por causa dele, fui convidada para ser a representante brasileira no Yamaha Festival, em Tóquio. O convite me chegou de maneira inusitada: uma gravadora daqui recebera por engano o pedido do meu nome por parte dos organizadores japoneses e se preparava para mandar uma outra artista de seu elenco, quando uma bendita secretária do presidente, não sei se indignada ou compadecida, interceptou a mensagem e ligou para minha casa, dando o serviço completo: o nome dos organizadores que estavam me procurando, telefones, fax e tudo o mais. Fiz o contato diretamente e fui para Tóquio em 1985, iniciando a partir dali uma relação com as plateias japonesas que dura até hoje, e que daria início também a uma produtiva carreira fora do Brasil. O que acabaria se consolidando como a melhor alternativa para quem, como eu, não tinha mais mercado em seu próprio país.

Mais de vinte anos depois, estando justamente no Japão, ao lado de um grande músico e amigo que tivera uma passagem como executivo de gravadora, fiquei sabendo de maiores detalhes. Houvera, sim, um plano estabelecido para, literal e propositalmente, acabar com minha carreira. Mr. X teria convocado uma reunião de alto nível na associação que juntava todas as *majors*, da qual saíra com o compromisso de que nenhuma daquelas me contrataria sob nenhuma hipótese. "Para dar o exemplo e não criar precedente para outros artistas", segundo meu amigo me contou num jantar, depois da segunda taça de vinho. Entendi então o que acontecera na época. Mas continuei sem entender o sadismo dos que tinham feito questão de me ligar para reuniões nas quais eu jamais seria recebida.

Eu só voltaria a atuar numa *major* em 1990, quando fui contratada pela americana Verve, o braço jazzístico da Polygram nos Estados Unidos. Mas aí já é uma outra história.

A vida tem sempre razão

FAMÍLIA

História é o que algumas poucas pessoas fizeram, enquanto todas as outras estavam arando campos e carregando baldes de água. (Noah Yuval Hariri, *Sapiens*)

Pode ser. Não sei de nenhum camponês arando campos na minha família, mas sei que, pelas lembranças que me chegaram, ninguém foi especialmente importante, embora todos tenham de alguma forma participado da engrenagem que gira a roda da História. Mas não é sempre assim?

Acho que a maioria das famílias é igual à minha, feita de pessoas comuns: nossas histórias e nosso passado vão virando lenda, e quando a gente se dá conta, não sabe nunca exatamente o que aconteceu. É pela tradição oral que a gente vai descobrindo de onde veio, e isso vai mudando conforme a história é contada. Para onde vamos é outra questão, que jamais saberemos, e é melhor mesmo não saber.

Sei, por exemplo, que meu bisavô materno, Luís Carlos de Carvalho, foi exilado político. Era oficial da Marinha brasileira, condecorado na guerra do Paraguai, mas perdeu a patente por ser monarquista e ter se envolvido na Revolta da Armada, ao lado de Custódio de Melo. Precisou se mudar para o Uruguai por uns tempos, onde sobreviveu como cocheiro – com a esposa, minha bisavó Virgínia, costurando bandeiras para ajudar no orçamento da casa.

Era muito artística essa bisavó, que morreu quando eu tinha dois anos, e que, diz a lenda, eu chamava de "vovozinha da perna quebrada". Tocava bandolim, pintava, gostava de operetas. Deve ter sido complicada a vida ao lado de um militar como meu bisavô, ainda mais na difícil situação do exílio – ele que, já na volta ao Brasil, precisou exercer sua profissão como civil, comandando o famoso Ita, o navio que vinha do Norte trazendo migrantes para a Capital Federal. Dizem as netas que era homem extremamente rude e autoritário: segundo minha mãe, crianças não tinham permissão para falar na mesa, e ela mesma, na adolescência, teria levado uma cadeirada do avô, ao expressar uma opinião favorável ao divórcio, tema tabu. É isso mesmo que você entendeu, ele atirou uma cadeira na neta de 14 anos para que ela calasse a boca. Antigamente era assim.

O casal teve cinco filhos, entre eles minha avó Odília. Esta era uma mulher baixinha, despachada e rabugenta, nada vaidosa e não especialmente bonita. Por isso a surpresa geral quando ela se casou com um belo homem, morenaço de olhos verdes, gaúcho de raízes pernambucanas – e também um homem do mar.

Meu avô Pedro Ivo Velloso da Silveira era parente (talvez sobrinho-neto?) de seu homônimo, herói da Revolução Praieira. O pai advogado trocara o Recife por Porto Alegre, onde casou duas vezes e foi pai de inacreditáveis 21 filhos, dos quais meu avô era o mais novo. Numa família daquele tamanho seria difícil para o caçula ter recursos para completar os estudos, e meu avô, que desejaria fazer a Escola Naval, acabou indo parar na Marinha Mercante.

Pedro Ivo e Odília tiveram sete filhos, dos quais apenas cinco sobreviveram. A prole fixou-se em quatro meninas e um só rapaz, meu tio Jorge Velloso, em quem residiam grandes esperanças. Os pais o matricularam na Escola Naval, de onde ele acabaria expulso, virando um grande boêmio, conhecido na Lapa dos anos 1930 como "Almirante Bagunça". Foi "regenerado" ao se casar com minha tia Iracema, aspirante a cantora do rádio (que ele conheceu num programa de calouros, onde ela dividia o palco com a também estreante Emilinha Borba) e virou um pacato funcionário público. Mas isso já é outra história.

As filhas mulheres eram figuras engraçadas e adoráveis, tendo todas herdado o humor ácido e a autossuficiência da mãe. Com um marido que passava metade do ano embarcado, minha avó Odília não tinha mesmo outro jeito a não ser aprender a se virar sozinha.

{Rápido resumo das tias: mais tarde, a bonita e espevitada Suzette casou-se com Thomas, um típico, fleumático inglês, e com ele formou uma daquelas famílias com cara de anúncio de margarina; a nada bonita, mas muito querida Nilza, de cabelos vermelhos, sardas e dentes proeminentes, casou com Adelmo, italiano fugido da guerra, divertidíssimo, louco por crianças, não tendo conseguido gerar nenhuma; em compensação, a brilhante Wilma, a caçula temporã, culta e poeta – a favorita até hoje entre sobrinhos e sobrinhas – casada com o advogado Plínio, acabou exercendo seu brilho intelectual na criação de cinco filhos. Mas chegou a ter uma letra sua gravada por Jair Rodrigues... Estas tias amadas foram minhas submães em diversas ocasiões, quando por alguma razão foi preciso um suporte familiar, que nunca me faltou.}

Minha mãe Zemir, a primogênita, saiu lindíssima, morena de olhos verdes como o pai. Tinha fome e sede de cultura, mas isso lhe foi negado: aos 14 anos de idade ficou noiva – *do melhor partido de Niterói* – e foi retirada da escola, sob protestos: a família entendia que não precisaria de mais estudos, já que iria se casar. No entanto, o comandante Pedro Ivo também amava a música, trabalhava no Lloyd Brasileiro e trazia de Nova York discos de jazz e ópera, que alimentavam a alma da filha.

{Mais tarde ele morreria no mar – o navio mercante Cabedelo, que ele comandava, foi torpedeado em 1942 por um submarino italiano e desapareceu misteriosamente, num episódio que ensejaria a entrada do Brasil na Segunda Guerra. Minha avó levou anos até ter sua condição de viúva assumida pelo Estado.}

Zemir casou-se, portanto, com o *bom partido* Luiz Antônio, e com ele teve dois meninos. O casamento não durou: a certa altura, o advogado promissor de Niterói abandonou mulher e filhos e foi viver em São Paulo com outra. E eis que minha mãe precisou ir morar com os pais, ela e seus dois garotos. Uma parenta arrumou-lhe um emprego no Ministério da Fazenda, que ela agarrou com unhas e dentes e onde trabalhou pelos 38 anos seguintes, estudando e fazendo concursos internos até se aposentar num cargo de chefia.

Quando o amor lhe reapareceu na figura de um charmoso dinamarquês, também separado e pai de três meninos que ele aparentemente criava sozinho, foi tiro e queda: minha mãe se encantou com aquele homem incrível, bom demais para ser verdade, e mergulhou de cabeça num relacionamento que acabaria no que hoje a gente chamaria de "uma tremenda roubada". Pois eis que ela, aos 35 anos, engravidou e – adivinhem só – o belo homem sumiu no mundo. Distribuiu os filhos do primeiro casamento entre algumas ex-namoradas (eram muitas, todas tão apaixonadas quanto minha mãe) e foi fazer mais filhos em outras freguesias. E foi assim que vim ao mundo, tendo dois irmãos por parte de mãe e, conforme descobri mais tarde, outros sete por parte de pai, em diversos estados brasileiros. Cabe aqui dizer que, não tendo tido pai, tive família, e cresci cercada de amor por tios e tias do lado materno.

{Paternidade responsável continua um item difícil de achar, até hoje. Mas nos anos 1940/50, francamente... era *avant-garde* demais, mas minha mãe, corajosamente, bancou esta produção independente que vos fala.}

As origens do meu pai Helge ficaram misteriosas para mim durante muitos anos. Em casa não se falava o nome dele, e eu fora registrada como filha do primeiro marido de minha mãe, o advogado Luiz Antônio, que nunca vi pessoalmente, mas que aparentemente se sentiu na obrigação de dar ao menos esse apoio à mulher que ele devolvera aos pais, acrescida de dois filhos e sem um tostão. Pelo menos a filha bastarda teria um sobrenome igual ao dos irmãos maternos e não seria tão discriminada assim. Nossa mãe tinha planos para nós. Queria que todos fôssemos para a universidade, e fomos.

Só bem depois fiquei sabendo um pouco sobre a família Johnston. Quando meu avô paterno, o sueco Augustus Julius Johansson, nascido em Landskrona, casou-se com minha avó, a dinamarquesa Ingeborg, e foi viver em Copenhague, ele já deixara para trás um outro casamento... na Alemanha. Tiveram três filhos, meu pai e suas duas irmãs. A família emigrou para a Argentina, depois para os Estados Unidos, onde o sobrenome Johansson foi trocado por Johnston, para facilitar a vida. Augustus um belo dia saiu de casa e desapareceu, dizem que com uma francesa, num procedimento que seria mais tarde copiado inúmeras vezes pelo filho, sempre que se cansava de algum relacionamento.

E foi assim que a família Johnston veio parar no Brasil, em busca de melhor sorte. Uns ficaram, outros voltaram para os Estados Unidos. Meu pai ficou, teve uma vida no mínimo aventurosa, e deixou esta prole de oito filhos e filhas, de que fui a quarta.

> {Oito, que se saiba. Existe um misterioso interregno na vida de meu pai, nove anos em Montevidéu –, ele vivia em Porto Alegre com a então mulher e três filhos, um dia saiu para cortar o cabelo e só voltou ao Brasil nove anos depois. Difícil de acreditar que ele tenha vivido em celibato durante essa temporada...}

Mas lá em casa não se falava nesse assunto. Quando eu perguntava à minha mãe quem era realmente meu pai – se o da certidão de nascimento ou aquele homem louro que aparecia com ela em algumas fotos – ela só dizia "seu pai era um homem muito mau" (depois precisei resolver isso na análise...) E assim foi, até que, aos dezesseis anos, fui levada para um jantar em casa de um dos irmãos por parte de pai (que minha mãe dizia que eram meus *primos-irmãos*) e lá estava o velho Helge. Que ficou muito impressionado com minha habilidade em falar outros idiomas – com certeza, narcisicamente, notou que esse talento vinha dele – e escreveu uma cartinha para minha mãe dando os parabéns por ter me criado tão bem. E ainda terminava com um PS bem íntimo, malicioso, que ela rasgou e jogou no lixo.

Convivemos pouco: eu era 100% partidária daquela mãe que me criara com tantas dificuldades, e não estava disposta a brincar de família feliz com o homem que nunca mandara sequer um telegrama para saber se eu estava bem ou mal. Lamentei quando ele se suicidou, antes de completar setenta anos, mas entendi que a solidão e o sentimento de fracasso teriam sido construções dele mesmo, naquele eterno descompromisso com a vida.

Minha mãe se foi, de morte natural, aos noventa, lúcida e adorada pela família e por todos que a conheceram. Era durona e autoritária com os filhos, mas amorosíssima com netos e netas. E generosa com estranhos: não havia um maluco, parente ou não, que não contasse com a sua simpatia. Foi vaidosa e coquete, como se dizia então, até o fim dos seus dias. Maquiava-se toda até para ir à esquina comprar o jornal, conversava e distribuía beijinhos pelo caminho, vizinhança, porteiros, quem encontrasse pela frente. Pois Zemir era comunicativa e sociável – como disse um dia minha filha mais nova, "minha avó fala com tudo que se move". Nada disso eu herdei: em comparação com ela, até que falo pouco; evito estranhos e detesto maquiagem. E não tenho paciência para malucos.

Mas dela herdei o sentimento do "resolve", que é meio assim: quando surge algum problema, uns apertam a tecla *F*, outros apertam a tecla *R*. Sou dessas. ～

VELHOS FLASHES

Infância:

Quando era criança, minha mãe uma vez me levou à festa de aniversário da filha de um colega de trabalho – minha mãe era funcionária pública, e trabalhava na mesma repartição do Ministério da Fazenda que o pai da aniversariante. Era um tempo em que não rolava diálogo entre gerações, nada era explicado ou perguntado. Senti um estranhamento, mas não disse nada. E fiquei durante anos sem entender: como era possível que aquele colega da minha mãe, com a mesma função e o mesmo salário, morasse numa casa luxuosa no Jardim Pernambuco e desse festas tão fartas, enquanto a gente morava num dois quartos simplesinho no Posto Seis, e nossas festas de aniversário – quando havia – eram para lá de modestas?

    Demorou, mas finalmente entendi. Dona Zemir era irremediavelmente honesta.

Adolescência:

Onde você estava em 1964? Se você tem mais de cinquenta anos, ainda que estivesse no berçário, alguém vai querer saber. Eu vou logo dizendo: estava adolescendo, em casa, na praia, no colégio, preocupada com os namoradinhos da hora, com as provas do semestre, com meus LPs de João Gilberto. Minha família apoiou o golpe: minha mãe, bastante ousada em certas coisas e superconservadora em outras, temia que o apartamentinho de dois quartos no Posto Seis, que ela comprara com tanto esforço, tirado do seu modesto salário de funcionária pública, viesse a ser ocupado por famílias de camponeses, caso o Brasil virasse a Rússia de 1917. E acho que a maioria dos nossos vizinhos tinha os mesmos temores. Na noite do 1º de abril daquele ano, as janelas dos outros apartamentos ostentavam velas acesas, em sinal de apoio. Algumas famílias brindavam com vinho do Porto. A maior parte se arrependeria amargamente, depois que deu no que deu. Ela, inclusive.

Juventude:
Quatro anos depois eu já era outra pessoa, estudava na PUC, circulava no meio artístico, tomara conhecimento de mil coisas das quais não tinha a mínima ideia antes. Finalmente estava ligada em tudo o que estava acontecendo.

Chegando à vida adulta:
Então comecei a fazer música para valer, e naquele momento, nos anos 1970, a vida era assim:

‖: Enfrentar pesada censura, em qualquer ramo das artes. Para compositores, significava ter de mandar seu trabalho, depois de tudo pronto, para o crivo dos censores, podendo ser aprovado ou não. E se não fosse, azar o seu. Só poder trabalhar com a famigerada "carteira de censura", permissão dada (ou não) aos artistas pela Polícia Federal.

❚: para começo de conversa, tive, sim, algumas músicas censuradas – e nenhuma por razões diretamente políticas. Por exemplo, "Please, garçon", que era uma brincadeira entre amigos, feita em inglês, num barzinho onde o serviço era lento demais... Por ser num idioma que o censor não entendia, foi proibida a execução pública com essa letra, e ela acabou entrando, em versão instrumental, na trilha do filme *Roberto Carlos e o diamante cor-de-rosa*.

Também tive censurada minha canção "Eternamente grávida", depois de já gravada no meu disco *Água e luz*, de 1981. Aí a questão era outra: uma canção que comparava a criação musical a um parto (ou vice-versa), mas continha a subversiva frase "parir para mim é um prazer..." Foi preciso que houvesse a interferência do pesquisador Ricardo Cravo Albin em minha defesa para que a música pudesse ao menos ser lançada em disco...

❚: Ter de pagar uma taxa de mil dólares para poder viajar ao exterior – chamava-se depósito compulsório. Nós aqui em casa chegamos a pagar por isso para que minha enteada, filha do Tutty, pudesse ser devolvida à mãe, que morava nos Estados Unidos. E por falar nisso, ter sua enteada/filha, de apenas quatro anos, presa no Galeão pela polícia política, por estar sendo trazida de Nova York até você por um casal amigo (os queridos Ana Arruda e Antônio Callado) que estava na lista negra. Ao chegar em casa, depois de horas de sufoco, a criança tendo sido finalmente liberada pelo esforço de um advogado amigo, ver que a maior parte dos brinquedos que ela trazia tinha sido desmontada pelos policiais do DOPS para ver se continham alguma mensagem subversiva dentro. Depois conversamos bastante com ela para tentar apagar qualquer possível trauma. Ela só queria entender por que aqueles homens tinham ficado tanto tempo "brincando com as bonecas dela".

❚: Ter notícias da corrupção em Brasília apenas pelo boca a boca, pois na imprensa não era possível, e o tempo estava sempre com "nuvens negras e ar irrespirável", como escreveu o grande (e meu professor na PUC) Alberto Dines na manchete do *Jornal do Brasil*, no dia do famigerado AI-5.

❚: O dinheiro que desvalorizava rapidamente: o cara do supermercado vinha e remarcava o preço com a lata já na mão do freguês. A impossibilidade de se planejar um orçamento que fosse, pois nunca se sabia qual seria o montante das contas, mesmo as fixas, como mensalidades escolares, que aumentavam a cada mês conforme a inflação. Cartão de crédito: não existia, a gente só via nos filmes americanos.

❚: Amigos desaparecidos ou exilados: tivemos.

E agora, neste intenso agora:
Penso em tudo isso enquanto vou lidando com questões do dia a dia, como ter dois álbuns gravados quase ao mesmo tempo, o que praticamente equivale a ser mãe de gêmeos, sem saber a qual devo dar atenção primeiro. Dois álbuns

que dificilmente sairão aqui no Brasil. *Et pour cause*: cada vez mais me convenço de que o destino de minha música é morar no mundo. Mais de cinquenta anos depois, diz a lenda que o Brasil é uma democracia. Mas certas coisas continuam no exílio.

A VIDA TEM SEMPRE RAZÃO?

"*Non, rien de rien... Non, je ne regrette rien.*",
disse Edith Piaf.
"*No complaints and no regrets.*",
disse Shirley Horn.

Mas aqui no Brasil a gente é diferente. "O arrependimento quando chega, faz chorar", disse Sílvio Caldas. Quem nunca se arrependeu ou achou que poderia ter mudado o próprio destino? Ah, as encruzilhadas da vida. Você toma uma decisão e vai em frente. Depois eventualmente se estrepa por conta de uma escolha errada, e aí já era. Azar o seu. Você disse não, quando poderia ter dito sim. Disse sim, quando deveria ter dito não.

Admiro quem diz que não se arrepende de nada. Eu me arrependo de muita coisa. A frase de Vinicius de Moraes, meu poeta, meu amigo Vina, que diz que a vida tem sempre razão, não passa de um consolo, quando a gente vê que deixou de fazer alguma coisa que não deveria ter deixado. Aliás, ele mesmo, Vinicius, me forneceu motivo de sobra para arrependimento: por que raios não aceitei os inúmeros convites para ser parceira dele? Trabalhamos juntos durante quase dois anos, viajamos pelo mundo, tivemos amizade e cumplicidade. Faltava a parceria, e ele não deixava de me lembrar disso a toda hora. Fiquei esperando que me nascesse a grande canção que selaria a colaboração com meu amigo. Mas nunca me parecia suficiente. Eu tinha padrões altos demais, crescera ouvindo Vinicius compor com parceiros geniais. Ele, por outro lado, não estava nem aí para isso: o que viesse, ele toparia, isso ficou sempre bem claro. Boba fui eu.

E por falar em saudade, já que lembrei do Vinicius, vejamos o Tom. Com ele os arrependimentos foram tantos. O chope, os vários chopes, que não fiquei pra tomar com ele – OK, não teria sido um chope, no meu caso: eu teria pedido um suco, uma água, sei lá, mas lhe teria curtido um pouco mais a companhia. O duo que não fizemos – ele me convidara, mas eu quis ser leal a um colega e deixei de aproveitar o momento oferecido, que era para sermos somente eu e ele. O desfile da Mangueira – não deu, eu estava exausta, chegando de viagem internacional naquele dia, mas bem podia ter feito um esforço. Tantos desencontros pela vida.

Outros tantos amigos e amigas que deixei que partissem sem ter me despedido à altura. E também pessoas amadas, da família. Eu queria ter conseguido tirar minha mãe da câmara de tortura que é a UTI de um hospital. Devia ter enfrentado tudo e todos para que ela pudesse partir em paz, com os netos ao redor, sem aquelas máquinas terríveis e suas luzes ininterruptas, os ruídos, aquele monte de estranhos. Não desejo isso pra mim nem pra ninguém. A morte é um momento sagrado da vida. O segundo momento mais importante. "Desde o instante em que se nasce, já se começa a morrer", disse Cassiano Ricardo, e o Vina replicou.

Casamentos fugazes, pequenos amores, encontros ou namoros com os caras errados. Ainda bem que a primeira juventude passou rápido. Mas vejam bem, sempre fui muito romântica. Relacionamentos casuais, cruzes. Não entendo esse povo que se relaciona por aplicativo. Sou do século passado mesmo. Ainda acredito no olho no olho, na química, no cheiro, na pele. E na cumplicidade, na palavra, no sentimento. No tal do amor. Mas enfim, enquanto não chegava esse tal, a gente tinha que seguir vivendo. E experimentando. Depois a gente se arrepende um pouco – ou muito, dependendo do nível da experiência. Como dizia minha mãe, adivinhar é proibido. O importante é ter chegado ao porto.

O Brasil, o Rio de Janeiro. Tive muitas oportunidades de ir embora, mas fiquei. Por um amor insano – e, desconfio, não correspondido – por este lugar, essa cidade deslumbrante, essa música nascida aqui que carrego dentro de mim e que é minha pátria verdadeira. Deveria ter ficado? Deveria ter ido? Agora é tarde para saber. Em algum momento, a cidade morrerá, e eu com ela. Estou presa nos escombros da cidade submersa. ～

CORAÇÃO CIVIL

10 de abril de 1984, Candelária, RJ. Dia do histórico comício pelas eleições diretas, que reuniu um milhão de pessoas no Rio de Janeiro. Outros já haviam acontecido e ainda iriam acontecer pelo Brasil todo, pedindo a aprovação da emenda Dante de Oliveira, que restabelecia as eleições diretas para presidente do Brasil. Tudo em vão: estas só iriam vingar em 1989. Mas ainda não sabíamos disso.

Sempre fui refratária a participar de comícios pagos em época de eleições, ao contrário de tantos colegas meus, que ganharam muito dinheiro com isso. Mas comícios de graça, em torno de uma ideia, desses participei muitíssimo, mesmo em situações de risco, como aconteceu algumas vezes nos anos de chumbo da ditadura militar. Portanto, quem me convidou para participar do grande comício das Diretas em 1984 sabia o que estava fazendo. Quem não sabia era eu, ai de mim...

Foi inesquecível o Dragão das Diretas, criação do artista plástico Alex Chacon, que havia sido largamente exibido em Brasília, quando houve a manifestação por lá. Era uma escultura de papel machê, de grande porte, vestida por diversos manifestantes que rodopiavam pela praça dos Três Poderes. E que causara grande incômodo às autoridades militares de plantão. Foi resolvido que o Dragão viria para a manifestação do Rio. Alguns amigos se reuniram com o pessoal que trazia esse original artefato, e dessa reunião saiu uma marchinha da Turma do Dragão, que meu amigo Fernando Leporace me mostrou na véspera do comício e me fez dar boas gargalhadas.

No dia seguinte fui para o ponto de encontro dos artistas participantes, que seria no Museu de Arte Moderna, no Aterro do Flamengo. Dali sairíamos num ônibus, diretamente para o palco/palanque armado na Candelária. No camarim improvisado, entre artistas e políticos, acabei conversando bastante com Dona Mora, esposa de Ulysses Guimarães, uma simpaticíssima senhora, que me confidenciou o quanto era difícil lidar com o estresse do marido quando este chegava em casa, depois de seus longos embates em Brasília. Compreendi e me solidarizei imediatamente com ela, pois não devia mesmo ser fácil enfrentar aquilo tudo. Veio o ônibus e seguimos para o palanque.

Eu, como sempre na vida, estava improvisando: não tinha a mínima ideia do que iria fazer quando chegasse lá. Não havia a menor infraestrutura para show. Praticamente ninguém levara algum instrumento, pois a ideia era mais demonstrar apoio que qualquer outra coisa. Alguns colegas mais espertos e tarimbados nesse tipo de comício, como Milton Nascimento e Beth Carvalho, levaram *playbacks* de seus sucessos, e assim se apresentaram no palanque, para delírio da plateia de um milhão de pessoas. O que fazer?

A última artista a se apresentar antes de mim foi Olivia Byington, que com sua voz de spraníssimo, cantou, *a capella,* o Hino da Independência: "Ou ficar a pátria livre/ ou morrer pelo Brasil." Era um momento histórico, solene, de grande seriedade e importância. Era preciso estar à altura de tamanha responsabilidade.

Ou não?

Quando fui chamada ao microfone, olhei para o lado e vi Ulysses Guimarães, Leonel Brizola, Tancredo Neves, o venerável Dr. Sobral Pinto, todos ali assistindo. À minha frente, aquele mar de gente. A ideia mais óbvia, para mim, seria protagonizar um "momento fofo" no comício: eu poderia facilmente cantar "Clareana" *a capella* também (o público certamente me acompanharia), e em seguida dizer que esperava no futuro próximo um Brasil democrático para minhas filhas. Seria lindo e Dona Mora sem dúvida aprovaria. O público ficaria com lágrimas nos olhos. Minha mãe em casa se orgulharia de mim.

Mas um pensamento rápido me veio. Essa não sou eu. E, bom, o negócio aqui está ficando sério demais. Um pouco de esculhambação não faria mal a ninguém... Lembrei da marchinha que meu amigo Lepô me ensinara na véspera, e falei para o público sobre o Dragão das Diretas, "que deve estar por aí em algum lugar". Em seguida, mandei a marchinha:

"A Turma do Dragão/ cospe fogo na inflação/ corre, Dragão, pega o ladrão/ que não quer saber de eleição"

Já estava indo mal... Mas podia ficar pior. Emendei na segunda parte:

"Apoteose/ seria o Delfim com cirrose.../ (...) Corre, Dragão. pega o ladrão/ que agora é hora de eleição... Diretas já! Diretas já!"

Pelo menos no refrão final o público me acompanhou. Ao lado, no palanque, Dona Mora me olhava, horrorizada. A maioria dos políticos também (julguei ter visto um esboço de sorriso na cara de Tancredo Neves). Agora era tarde, a besteira cívica já estava feita. No dia seguinte, várias pessoas me ligaram perguntando se eu tinha enlouquecido. A Globo transmitira ao vivo, exatamente na minha parte...

No ano seguinte, 1985, ao lado de vários outros artistas, fui a Moscou me apresentar no Festival da Juventude. Lá, numa delegação composta por jovens futuros políticos, havia um garoto de uns vinte e poucos anos, que me informaram ser o neto de Tancredo. A primeira coisa que ele me disse, ao sermos apresentados, foi: "Meu avô gostava muito de você." Bom, então pelo menos alguém tinha achado graça na minha brincadeira... Perdão, Dona Mora! ~

TESTEMUNHA OCULAR DA HISTÓRIA

Por alguma razão que algum dia hei de compreender, volta e meia me vejo na condição meio *Forrest Gump* de testemunha, se não participante, de algum fato relevante. Não sei se isso acontece com todo o mundo, ou se algum tipo maluco de magnetismo me atrai para fatos e personagens que só irei entender muitos anos depois.

Como, por exemplo, na adolescência, na primeira viagem ao exterior, ter conhecido na Itália uma linda moça, irmã de um amigo também feito nessa viagem, que seria a futura rainha da Suécia. Ou ter tido o moderníssimo vestido da minha festinha de quinze anos (um inesquecível tubinho de jérsei azul tie-dye, diferente de todos os vestidos daquele tipo de festa) criado e confeccionado por d. Zuleika, talentosa modista de Ipanema, cujo filho viria a ser um namoradinho meu, que acabaria se casando com uma outra amiga das mesmas festinhas – só que d. Zuleika era a futura Zuzu Angel. Seu filho Stuart, a nora Sonia e ela mesma morreriam assassinados durante o regime militar... mas ainda não sabíamos disso em 1963.

Coisas assim me acontecem frequentemente e por isso não me surpreendi, lendo as notícias internacionais, ao ver a confusão armada na Inglaterra pelo escândalo dos grampos na imprensa feitos por jornalistas do tabloide *News of the World*, um dos mil empreendimentos do *media mogul* Rupert

Murdoch. Pois não posso esquecer de quando o conheci na Nova York de 1977.

Eu lá estava para inaugurar um elegante clube de música brasileira, que tinha o singelo nome de Cachaça, mas que aparentemente pertencia ao mesmo dono da badalada boate Hippopotamus. Digo aparentemente porque nesse tipo de negócio nunca se sabe quem é o verdadeiro dono. E os seguranças do Cachaça Club eram todos homens de terno preto e sobrenome italiano.

Pois o relações públicas do clube veio me dizer que Mr. Murdoch, novo dono do jornal *Village Voice*, gostaria de me fotografar – ele, pessoalmente, quanta honra! – diante do letreiro da porta. E fez questão de enfatizar como essas fotos seriam importantes para que o local, recém-inaugurado, deslanchasse na imprensa. Eu não tinha a mínima ideia de quem se tratava, mas topei fazer as fotos – só que ninguém tinha me avisado que Mr. Murdoch queria porque queria que eu fotografasse com o figurino do show, um vestidinho branco bem leve, ombros de fora e o violão na mão. Dentro do clube seria moleza. Mas na rua... Estávamos em março, ainda com temperaturas invernais em NY. Só faltava nevar.

Não houve acordo, não consegui me livrar (ou não consegui dizer não aos meus empregadores) e acabei descendo, muito de má vontade, com Mr. Murdoch no elevador. Ainda tentei dizer a ele que meu violão acústico, um Di Giorgio Autor nº 3, não suportaria o choque térmico. Ao que ele me respondeu que já fotografara Andrés Segovia com seu violão em temperaturas similares, e o gênio não havia reclamado. Diante de tal argumento, não tive mais o que retrucar.

Pois fui, fiz as fotos – e dois dias depois, o tampo do violão rachou e eu estava de cama, com suspeita de pneumonia, o que me pôs fora de combate por uma semana, totalmente sem voz. Eu devia ter contra-argumentado que Segovia não era cantor, mas isso não me ocorreu naquele momento.

Agora está Mr. Murdoch, o bilionário, às voltas com a justiça britânica. Bem feito. ～

À FRANCESA

O que fazer quando se está numa situação constrangedora, daquelas em que parece não haver saída? Na adolescência eu tinha uma solução infalível: mais de uma vez, em festas chatas e outras ocasiões desagradáveis, me escondi em algum aposento onde pude dormir até que viessem me buscar para ir embora. Era um sono provocado, na intenção de ser deixada em paz. O corpo ficava ali, mas o espírito saía à francesa... Dava certo.

Mais à frente realizei algumas inesquecíveis fugas, fugas mesmo. Como aquela vez em que – aos dezenove anos, recém-estreando na vida artística – aceitei por descuido um convite para um passeio de barco. Era coisa que eu ainda não fizera e tinha curiosidade de fazer, ver o Rio de Janeiro a partir da Baía de Guanabara. De fato, a paisagem era deslumbrante, mas a companhia, nem tanto: celebridades e socialites, gente que eu não conhecia nem tinha vontade de conhecer. Suportei o quanto pude o sacrifício, mas no momento que o barco se aproximou de Ipanema, na altura da então rua Montenegro (hoje rua Vinicius de Moraes), não tive dúvidas: pulei no mar e fugi a nado. Meus amigos não acreditaram quando me viram chegar na praia, assim, do nada, como uma Yemanjá fora do contexto. Foi um alívio, e o alívio maior foi nunca mais ser convidada para uma ocasião dessas.

Já fugi de bailes de carnaval a que fui por obrigação. De ensaios de escola de samba, onde fui parar por amizade e me convidaram para o camarote do patrono. De restaurantes chiques com pessoas muito ricas e estranhas. De casamentos, batizados, reuniões de família. E pulei uma janela, com marido e filha, fugindo de uma festa onde os convidados estavam ficando inconvenientes.

Fugi de Elis num restaurante depois de um show dela, quando a conversa começou a ficar meio esquisita, a certa altura. Vi logo que alguma coisa estava fora da ordem com minha amiga, pedi licença para ir ao banheiro, entrei num táxi e voei para casa ("Ué, você não ia jantar com a Elis?" perguntou o Tutty, surpreso ao me ver chegar tão cedo). Mas essa fuga teve seu contraponto, pois logo em seguida ela me ligou, encomendando (e gravando divinamente) uma música minha. E ficou tudo bem.

Fugi, pois, de muitas coisas, fugas de que jamais me arrependi. Posso também dizer, num sentido mais abstrato, que fugi também de um certo tipo de fama que não era do meu interesse; da popularidade fácil; do estigma da beleza física; de relacionamentos tóxicos; da busca incessante do sucesso; das necessidades desnecessárias que o dinheiro traz. Às vezes fujo do Brasil, quando preciso proteger minha música das aves predatórias. E é quando ela voa mais alto e fica planando lá no ar, pelos céus do planeta.

Às vezes fugir não é ruim, não. ~

Influência do jazz

SONHO AMERICANO, parte 1: CLAUS OGERMAN

Em 1977 eu trabalhava como *side musician* ao lado de Egberto Gismonti: cantava, tocava alguma percussão e, numa música somente, violão (nessa parte o chefe, compreensivelmente, não me dava muito espaço: o violão dele preenchia todos). Já então era o grupo Academia de Danças, na formação com Robertinho Silva, Luiz Alves, Nivaldo Ornelas e eu. Foi muito bom, mas durou pouco, pois logo em seguida surgiu um convite para que eu fosse a Nova York trabalhar numa casa noturna chamada Cachaça, que era para ser um point de música brasileira. Fizemos, portanto, apenas um show, na Concha Verde do Morro da Urca, e abandonei o grupo de Egberto. Meu parceiro Maurício Maestro iria comigo, como baixista do grupo montado por Hélcio Milito, o percussionista original do Tamba Trio.

Na semana seguinte eu e Maurício fizemos nosso show de despedida, antes da ida para NY. O Morro lotou, houve canjas de milhões de amigos. As pessoas subiam nas árvores para assistir, de tão lotado que estava.

{Minhas duas filhas pequenas, que ficariam alguns meses longe da mãe e aos cuidados da avó, também estavam ali no meio do público, eu e elas com sentimentos divididos... A ideia era buscá-las quando as coisas estivessem ajeitadas por lá, o que acabou não acontecendo: a maior teve um problema de saúde, eu voltei voando para o Brasil, e o sonho americano ficou para outra oportunidade, como veremos mais à frente.}

Enfim, foi uma noite importante em vários sentidos, na véspera de uma viagem que, eu e Maurício achávamos, mudaria nossas vidas. E não é que mudou mesmo?

Nessa ida para Nova York tivemos experiências musicais interessantes, apesar do trabalho bastante repetitivo de tocar na noite para um público de socialites e celebridades – o Cachaça era um clube caríssimo, chiquérrimo apesar do nome, cujo dono, o francês Olivier Coquelin, era o mesmo do famoso Club Hippopotamus. Dono, por assim dizer: eu tinha sérias suspeitas de que alguma coisa esquisita acontecia nos bastidores, embora não soubesse exatamente o quê. Volta e meia esbarrávamos em figuras estranhas, que pareciam saídas do filme *O poderoso chefão*. Depois que nos demitimos do emprego, mais adiante, ficamos sabendo de um tiroteio acontecido lá dentro, com cara de acerto de contas. Mas naquele momento ainda não sabíamos de nada, a não ser que estávamos em Nova York e o salário era bem bom.

Estávamos hospedados num anexo da cobertura de Olivier, no Upper East Side, área que me parecia chique e esnobe por demais. Sempre que chegávamos ao apartamento tínhamos de passar pelos cachorros do anfitrião – uns doze, de diferentes tamanhos, raças e temperamentos, sendo um desses um São Bernardo gigantesco que ficava atravessado na porta de entrada. Mas isso era o de menos.

Tom Jobim já tinha me avisado: "Nova York é a São Paulo do mundo." Eu detestei a cidade num primeiro momento. Achei NY feia e chata e só fui me apaixonar por ela quando conheci o baterista da *house band* do Cachaça, um baiano que já era bastante famoso no meio musical do Brasil, e me apaixonei por ele também. Tutty Moreno foi meu passaporte de entrada para a cidade real, onde ele vivia há três anos, já estava ambientado no meio jazzístico, e me ensinou tudo que havia para se aprender ali.

Essa temporada produziu, portanto, em minha vida canções que se tornariam meus futuros hits, um amor definitivo e um projeto com um dos meus ídolos, o genial Claus Ogerman. Foi João Palma, o grande baterista brasileiro de tantos discos importantes, quem me apresentou a ele. Naquela época eu e Maurício tínhamos um trabalho em duo, duas vozes, dois violões e nossas próprias composições. Por sugestão de João, fizemos uma audição para o Claus, que já tinha ouvido uma gravação que havíamos feito com Naná Vasconcelos em Paris, no ano anterior. Ele gostou do que ouviu e resolveu produzir e arranjar um álbum nosso, com as músicas novíssimas que estavam sendo feitas ali na hora – "Feminina" e "Mistérios", por exemplo.

{Essa audição foi inesquecível... Eu e Maurício tínhamos pedido ao Tutty, com quem eu já estava morando,

que nos acompanhasse, para dar uma força na parte rítmica. Levamos nossos violões e Tutty levou uma caixa contendo caxixis, tamborim e outros pequenos instrumentos de percussão. Quando a caixa foi aberta, no chiquérrimo escritório da Glamorous Music, editora de Claus... surpresa! De dentro saíram centenas de baratinhas, aquelas que no Brasil a gente chama de baratinhas francesas, as famosas "cucarachas", de que NY é tão pródiga. Claus, com germânica elegância, ficou impassível, fingiu que não viu, e a audição prosseguiu tranquilamente. A secretária deve ter providenciado uma dedetização logo em seguida...}
Durante o tempo das gravações, ele foi a pessoa mais gentil e acessível do mundo – sempre nos convidando para jantar em lugares chiques e caríssimos, como o tradicional Russian Tea Room, onde os rapazes precisavam usar paletós emprestados pela própria casa, que levava muito a sério seu *dress code*. E era sempre uma conversa deliciosa, de grande senso de humor – divertido, esperto, engraçado. Eu adorava o Claus e me sentia privilegiada por estar vivendo aquilo. Gravação maravilhosa que acabou nunca sendo lançada, mas que ainda guardo comigo, sem mixagem, como relíquia: a deslumbrante orquestra arranjada e regida por ele; as participações de Michael Brecker, Joe Farrell, Buster Williams, Mike Mainieri e outros mais; de nossos colegas brasileiros João Palma, Tutty Moreno, Naná Vasconcelos, Ion Muniz,

todos tocando nessas sessões (que por um triz não tiveram a participação de meu amado Bill Evans). Foi a minha experiência inaugural com o chamado sonho americano. Muito legal, mas não foi possível. Voltei correndo para o Brasil quando minha filha mais velha, então com seis anos (que eu deixara, com a irmã de cinco, aos cuidados de minha mãe), adoeceu e precisou de mim. Eu já estava providenciando passaporte para que as duas fossem pra NY ficar comigo, mas... nessas horas, não tem sonho americano que compense. Depois dessa minha volta ao Brasil, eu e Claus nos comunicamos muitas vezes por carta e telefone. A intenção dele era lançar este disco (que se chamaria *Natureza*) naquele momento mesmo. Mas era um projeto caro, e a gravadora americana com quem ele estava negociando insistia em que eu voltasse para regravar tudo em inglês – inclusive as partes cantadas em solo por Maurício, tirando a voz dele e colocando a minha no lugar, ideia que tratei de cortar pela raiz e tive o cuidado de não mencionar a ninguém. Claus e o então sócio Tommy LiPuma chegaram a tentar me colocar em contato com o compositor Michael Franks para que ele fizesse as versões. Eu estava recém-casada com o Tutty e acabara de engravidar da terceira filha. As promessas eram vagas e acabei ficando. O disco por fim nunca foi lançado, e o sonho americano ficou para outra ocasião. Como a vida tem sempre razão, acabou sendo melhor assim.

    E assim foi. Nunca mais nos revimos. Sei que muitas gravadoras em diversos países, inclusive a norte-americana

Verve, que me contratou entre os anos 1990 e 1992, tentaram comprar esse master, mas ninguém conseguiu. O preço pedido por ele era sempre altíssimo e por alguma razão ele segurou este disco até o fim. Apenas duas faixas vieram à luz depois disso: "Feminina", na versão original de onze minutos, que ele liberou para que fosse lançada numa coletânea da Universal chamada *A Trip to Brasil*. E uma parceria minha com o Maurício, chamada "Descompassadamente", que ele incluiu em sua caixa *Claus Ogerman, a Man and His Music*, com altos (e talvez exagerados) elogios à minha pessoa nas notas do livreto que acompanhava os CDs. Mas isso foi antes que ele se recolhesse e desaparecesse de vez. Eu não revi, nem ninguém reviu.

Pena mesmo: eu sinceramente gostava muito dele, além da enorme admiração pelo orquestrador que foi. Espero que ele tenha chegado bem e encontrado com o Tom no céu dos grandes músicos.

SONHO AMERICANO, parte 2: GRAVANDO NA VERVE

1989, 31 de janeiro. Meu aniversário de 41 anos. Cheguei em casa de um jantar com a família e havia um recado na secretária eletrônica: "*Happy birthday*, Joyce! Aqui é Richard Seidel, vice-presidente da Polygram USA. Gostaria de falar com você sobre vir a Nova York e gravar um disco conosco."

Presente de aniversário era pouco. Era o sonho americano abrindo as portas para mim mais uma vez, eu que já tivera frustrante experiência em 1977, com o famoso disco com Claus Ogerman, *Natureza*, jamais lançado. Eu não conhecia Seidel pessoalmente, mas depois fiquei sabendo que ele já ouvira alguns discos meus anteriores e também que Tom Jobim, que estava terminando de gravar seu *Passarim* para a Verve (o braço jazzístico da Polygram norte-americana) havia indicado meu nome a eles. Eu gravara um disco com seu repertório, em 1987, do qual o maestro havia gostado muitíssimo. E assim foi que surgiu esse convite.

Organizei a vida e fui a NY, onde conversei com Seidel e outras pessoas da gravadora. Seria uma volta ao esquema das *majors*, que no Brasil eu não frequentava havia anos. Por isso procurei um advogado americano, caríssimo, mas de confiança, indicado pelo Bituca. Ele era advogado de artistas pop como Madonna, o que já dava uma ideia do quanto seus serviços custavam por hora – mas paguei com prazer, queria me certificar de que dessa vez tudo daria certo.

Quase deu. Assinamos o contrato, e me foi pedido que voltasse para casa e fizesse uma fita demo no Brasil, com músicos da minha escolha, que possivelmente seria usada como base do disco. O diabo mora nos detalhes: *possivelmente*. Gravamos com o grupo que tocava comigo na época. Chegando de volta a NY, surpresa: não era nada daquilo que a Verve queria.

Gravadoras às vezes são como certos maridos: apaixonam-se por uma mulher, por tudo o que ela é, e depois querem que ela mude sua essência e a festa acabe. Pois mesmo depois de saber o que eu era, ouvir meu som, ver o jeito com que eu queria que minha música fosse feita, Mr. Seidel declarou sem meias palavras que gostaria que eu regravasse tudo com músicos americanos. Fiquei assustada e preocupada em como o suingue brasileiro da minha música seria preservado. Especialmente porque havia uma cumplicidade de linguagem entre meu violão e a bateria do Tutty que leváramos anos para construir. E também porque o próprio Tom jamais abria mão de usar bateristas brasileiros: Doum Romão, João Palma, Paulo Braga. Nem mesmo gravando com Sinatra houve essa questão. E se houve, ele resolveu favoravelmente.

Mas eu não tinha o poder de fogo do soberano maestro. E tive de engolir (afinal, já havia um contrato assinado) o que a gravadora me impunha: a quase totalidade de músicos americanos, para que o som ficasse com a cara do estilo *fusion* que era moda naquela época – e que eu, respeitosamente, detestava. Os músicos eram de fato ótimos, a fina flor do jazz nova-iorquino naquele momento, e com alguns deles, como Kenny Werner e Gil Goldstein, construí uma sólida relação de amizade, que dura até hoje. Mas a base ficou dura demais, sem aquele não-sei-quê-que-faz-a-confusão, que só uma base brasileira daria.

Acabou que gravei várias faixas apenas de voz e violão, ou de violão e percussão, aí sim, com a colaboração do brasileiro Café, radicado em NY. E ainda são minhas preferidas desse disco. Dentre elas, improvisada no estúdio, uma leitura minha para *"Help"*, dos Beatles: *"help me get my feet back on the ground... won't you please, please help me..."* Era o desespero que eu sentia naquele momento.

No ano seguinte eu gravaria o segundo disco para a Verve, aí já com uma base mezzo-brasileira. Mas ainda não era minha música do jeito que eu queria e sabia fazer, havia ainda muita interferência por parte dos produtores americanos. Do meu jeito mesmo, eu só conseguiria gravar bem mais à frente, ou para gravadoras japonesas ou para a inglesa Far Out. Mas aí... é outra história, que fica para depois. ~

LIVING THE JAZZ LIFE

É o título de um livro escrito pelo escritor americano Royal Stokes, um desses *scholars* especialistas em jazz – desses que vivem analisando e escrevendo sobre música e músicos, embora músicos não sejam. Por alguma razão, uma pequena biografia minha está incluída nessa obra, apesar de minhas origens brasileiras. Algum motivo o autor deve ter achado para isso. Talvez o fato de eu ter perifericamente convivido com algumas figuras da cena do jazz clássico – essas, sim, relevantes para o assunto.

Vou lembrar aqui alguns desses encontros, sempre retornando ao mote desse meu livrinho: *not as they were, but as they appear to me*. Ou seja, tudo o que estará dito aqui não passa da minha impressão pessoal. E assim é (para mim), se me parece. ~

JON HENDRICKS

Meu primeiro disco gravado na Verve norte-americana, *Music Inside*, teve relativo sucesso: boa aceitação na imprensa, um novo público se formando, uma turnê bem-sucedida. O suficiente para que a gravadora se interessasse em fazer logo um segundo CD.

Eu não estava pronta. Um projeto desses leva algum tempo para ser gestado da maneira certa, ainda mais para quem, como eu, trabalha basicamente com composição. Fazer um disco de intérprete seria mais fácil: pega-se um buquê de canções de que se goste, músicos com quem a pessoa se sinta à vontade para trabalhar, e vamos lá. Mas a preparação do buquê de canções autorais seria bem mais complexa. Requeria um tempo, assuntos que pudessem ser encadeados de algum modo e, mais ainda, num idioma que não era o meu. Mas a pressão da gravadora era grande e topei arriscar. Compus algumas canções diretamente em inglês, verti outras que já existiam e salpiquei aqui e ali composições alheias que pudessem colorir o projeto.

Uma das canções feitas diretamente em inglês seria *"Taxi Driver"*, música baseada em fatos: uma viagem de táxi numa madrugada em Nova York, com um motorista racista, que já começou a corrida me contando que havia jogado o carro para cima de dois rapazes pretos, "preventivamente", disse ele, "antes que o assalto acontecesse". Quando ele perguntou de onde eu era, tratei de dizer que era europeia. Imagina se ele descobre que estava levando uma brasileira... Eu é que não era besta de discutir com um maluco, numa cidade estranha, num horário daqueles. E assim consegui chegar ao meu destino – a casa de uma amiga no Lower East Side, onde eu estava hospedada – não sem antes ouvir conselhos paternais do chofer: "Cuidado, querida, que nesse bairro tem muito latino..."

Pois bem, transformei a esdrúxula situação num samba-rap sincopado em inglês, com o refrão *"What's a nice girl like you doing in a place like this?"*, e tratei de incluir no novo disco. Mas os chefões da gravadora recusaram meu samba, achando que bulia com assuntos delicados demais, ainda mais partindo de uma estrangeira como eu. Eu sabia que a música tinha sua força, era cantável demais e com grande potencial para tocar no rádio. Tirá-la do repertório, para mim, seria absurdo. Estávamos nesse impasse quando apareceu a figura de Eulis Cathey, produtor que a princípio não fazia parte do meu projeto, mas chegou com uma solução genial: convocar Jon Hendricks para dar um jeito na situação.

Jon, já meio idoso e com status de lenda do jazz, cantor espetacular, improvisador, especialista em colocar palavras nos mais intrincados solos de Coltrane, Parker e outros bambas, e cantá-los como se fosse a coisa mais fácil do mundo, viria a ser a salvação da (minha) lavoura. Antes que viesse ao estúdio gravar comigo, Eulis me levou a um show dele no

Village Vanguard, para que nos conhecêssemos. Ele já sabia de tudo e me convidou para uma canja com seus músicos. Eu vinha direto da gravação, estava com o violão do lado, e mandei um "Samba da benção" (simplinho, com 3 acordes), em que a banda americana pudesse também brincar. E brincamos todos, e ao final ele me chamou num canto, dizendo, galantemente: *"I'm in love..."* Um *gentleman*.

Chegou o dia da gravação, ele ouviu atentamente o que eu tinha escrito e propôs uma primeira leitura em forma de rap, em que ele faria o papel do motorista de táxi. Expliquei a ele que não era bem isso, a gente precisava botar melhor as coisas em perspectiva. Jon pensou um pouquinho e veio com a ideia salvadora: "Já sei, vou ser o espírito de Nova York falando com você!" E criou um texto sensacional, ali mesmo, no calor da hora.

Assim fizemos, e assim ficou, com Jon fazendo seus endiabrados improvisos vocais no final da música, por cima da nossa instrumentação – cavaquinho, violão e percussão de samba, além do piano jazzístico do meu amigo Kenny Werner, e um coro repetindo o refrão *what's a nice girl like you...* Ficou bom demais e foi mesmo um sucesso radiofônico.

Só que... na França.

Tornei a vê-lo, depois de muitos anos, no Rio de Janeiro, quando ele veio com seu grupo fazer um show no Mistura Fina. Fui com meu amigo Hermínio Bello de Carvalho, e notei que durante o show, Jon não tirava os olhos dele. Apresentei os dois no camarim, depois do show terminado, e Jon me chamou num canto. Perguntou quem ele era, o que fazia, e me fez prometer que lhe enviaria algum material daquele homem que lhe chamara tanto a atenção, com sua linda cabeleira branca. Como a poesia de um poeta tão 100% brasileiro poderia ser entendida por um poeta do jazz norte-americano? Não sei, mas sei que ele era assim. *I'm in love...*

E pronto! ~

GERRY MULLIGAN

Roma, 1976. Depois de uma feliz temporada no ano anterior com meu amado amigo e padrinho musical Vinicius de Moraes (dessa vez já com Toquinho de volta ao grupo), eu gravara um disco produzido por Sergio Bardotti, *Passarinho urbano*, minha leitura de voz e violão para canções de amigos brasileiros que estavam sendo pesadamente censurados no Brasil. A volta à Itália em 1976 seria para agitar o lançamento do LP e, quem sabe, encontrar novas perspectivas de trabalho, que na nossa terra-mãe já eram poucas, desde então.

Bardotti era um excelente cicerone, conhecia Roma pelo avesso e tinha um milhão de amigos no meio artístico. Fiquei contente quando ele me convidou para acompanhá-lo numa festa, em casa de alguém que não me lembro. Pois nessa festa, me disse ele, estaria um dos meus jazzistas prediletos, Gerry Mulligan, a quem eu iria conhecer.

E era verdade. Estava mesmo, ele e sua mulher italiana, Franca, uma belíssima ex-condessa, divorciada de um nobre europeu e agora casada com Gerry. Os dois trajavam túnicas africanas, compridas até o chão, eram figuras belas e exóticas. Ela, uma morena lindíssima; ele, um gigante louro e barbudo, parecendo um viking de vestido longo. Fomos apresentados, conversamos um pouco, e quando ele ficou sabendo do meu (até então) modesto *background* musical – imagino que meu produtor tenha feito alguma propaganda, inflado meus dotes um pouquinho – imediatamente me convidou para um fim de semana na villa que Franca herdara do ex-marido, numa região chamada Potenza Picena. E me disse para levar o violão.

Levei não somente o violão, como meu parceiro Maurício Maestro, que acabava de chegar à Itália. Descemos do trem e fomos instalados na villa, onde havia piscina, muitas árvores, uma casa linda e antiga de alguns séculos e um almoço delicioso, em que Gerry nos ensinou a forma correta de descascar um pêssego ("tem de 'pentear' o pêssego primeiro, a casca vai saindo por si só", ele explicou, e era isso mesmo).

Fizemos um som juntos, afinal era esse o objetivo da viagem. Naquelas férias na Europa ele estava tocando só clarinete, o sax-barítono tinha ficado em Nova York, provavelmente pelo peso e tamanho. Tocamos "Monsieur Binot", que eu tinha composto recentemente, ainda sem a letra, e Gerry me apresentou seu *"Theme for Jobim"*, dedicado ao Tom. E me pediu que escrevesse uma letra em português, homenageando nosso amigo comum, o que eu prometi que faria em breve.

De volta ao Brasil, fiz a letra e mandei para ele com uma tradução bastante simples, só para explicar do que se tratava. Ele me escreveu de volta, tinha adorado a ideia toda etc. Éramos parceiros. Daí para a frente não nos vimos mais, mas trocamos algumas cartas – era um tempo em que se trocava cartas – e LPs que íamos gravando (ele adorou o *Feminina*).

Quando finalmente gravei nosso "Tema para Jobim", já em 1985, algo inesperado aconteceu. Eu gravara em duo com meu amigo Bituca, ele cantando no meu tom, bem no grave (para ele), num canto quase sussurrado, irreconhecível – e ficou bem bonita aquela gravação. De algum modo, ela chegou aos ouvidos do diretor Robert Altman, que quis utilizá-la na cena de amor de seu filme *O jogador [The Player]*. Ele não sabia de quem era a música, e um de seus produtores entrou em contato comigo.

Expliquei que a música era de Gerry Mulligan, a letra era minha, e que qualquer remuneração pelo seu uso deveria ser dividida igualmente entre os autores. Eu ainda não sabia que nos Estados Unidos alguns autores são mais iguais que outros. O que aqui no Brasil seria uma simples divisão *fifty-fifty*, lá se transformou em outra coisa. Eu era agora uma letrista *for hire*, ou seja, teria sido contratada pelo meu parceiro naquela noite italiana de vinhos e pêssegos em Potenza Picena para escrever o que ele me pedira. Cada país com seus usos e costumes.

A bela amizade acabou resolvida por nossos advogados: 25% para esta autora e o restante para Mr. Mulligan, que mais tarde gravou nossa parceria num disco seu com outra cantora brasileira, Jane Duboc, e usou minha letra original, sem problemas.

Aliás, como hoje em dia ninguém recebe mais nada mesmo em direitos autorais, falando sério – sem problema nenhum. 25% de nada, não é nada, não é nada... não é nada! *Indeed*.

Mas para meu consolo, a cena do filme ficou linda – e a canção eternizada ali. ~

MICHEL PETRUCCIANI

Há alguns anos assistimos a um documentário sobre Michel Petrucciani exibido no Festival do Rio. Gostei de ter visto, embora, para quem não conheceu a figura, o personagem pareça mais exótico do que era na realidade. Ou talvez a gente só se dê conta de certas coisas muito depois, sei lá.

Fomos bons amigos, privamos de uma razoável proximidade. A primeira vez que o vimos tocar foi em 1986, aqui no Rio, no Free Jazz Festival. Ficamos chapados com o talento do garoto francês de 24 anos, portador de uma síndrome chamada "ossos de vidro", que o fazia precisar ser carregado no colo até o piano, mas que, chegando lá, era uma prova viva da existência de Deus.

Três anos se passaram, eu estava fazendo um show no New Morning, em Paris, e eis que Michel estava na plateia. Terminado o show, fui falar com ele e disse o quanto me havia emocionado com sua apresentação aqui no Rio. Ele fez muxoxo, perguntou por quê. Talvez achasse que eu iria dizer alguma platitude com relação à sua deficiência, ou coisa parecida – era provavelmente o que ouvia da maioria das pessoas. Mas eu falei a verdade: "Porque você me fez lembrar de Bill Evans." Bingo. Bill era o ídolo dele (e de todo e qualquer pianista de jazz que se preze, é bom lembrar).

Depois disso, a cada vez que passávamos por NY a trabalho e ele estava lá, ou ele ia nos ver, ou nós a ele. Em 1992 fizemos uma temporada numa casa nova-iorquina chamada Ballroom, hoje extinta, e ele apareceu por lá quase todas as noites. E também o vimos outras tantas vezes tocando no Vanguard, com nosso também amigo Joe Lovano e com Charles Lloyd (responsável por apresentá-lo ao mundo dos jazzistas americanos quando ele tinha 17 anos, recém-chegado da França). Vimos uma briga feia dos dois (Michel e Lloyd), com xingamentos mútuos e Michel saindo do palco injuriado antes do final do show. Passamos uma divertida noite no apartamento dele na 12th *street*, nós e nossa amiga Jessica, ourives californiana que ele hospedava na ocasião. Nessa noite ele propôs ao Tutty: "Você é alto e forte, mas é gago; eu sou deficiente e só tenho 1,20m, mas falo pra caramba. A gente podia fazer uma dupla." Michel e seu estranho senso de humor.

Vendo o filme, com o tempo e a distância, nos demos conta de que realmente Michel, como Tim Maia, "mentia um pouquinho". Ou "às vezes falava a verdade", como disse, num depoimento, um amigo seu. Mas tudo cessava ou perdia a importância quando ele punha aquelas mãos enormes no piano. Deus sabe o que faz. Michel era genial, mesmo com sua língua de trapo e sua compulsão por mulheres, drogas e bombons ("amo tudo o que é sensual", ele dizia). Chegamos a planejar um disco ou uma parceria juntos, que nunca se materializaram. *Hélas*! Não se pode ter tudo.

Na última vez em que nos vimos eu estava no Japão lançando um novo CD, e ele se apresentava com seu trio no

Blue Note Tokyo. Já contei essa história antes. Mas não posso esquecer do detalhe final, que não contei da primeira vez. Na despedida, depois de fazer todos os elogios do mundo ao Tutty para os músicos do seu trio, descrevendo com minúcias seu jeito de tocar, Michel resolve lhe mandar um bilhete (eu viajara sozinha daquela vez). E escreve o seguinte: *"Tutty, where are you? I miss you!"* Para depois completar, com seu humor típico e sacana: *"PS – your wife is beautiful!"* Esse era o Michel. ↙

GIL EVANS (EU SOU NEGUINHA?)

Quando fui para os Estados Unidos, em 1977, deixei para trás um trabalho que mal havia começado, como membro da banda Academia de Danças, de Egberto Gismonti. Sugeri a ele que convidasse minha amiga, a maravilhosa compositora e cantora Marlui Miranda, para ocupar meu lugar. E era mesmo a pessoa certa, tanto que ficou no grupo durante alguns anos, antes de mergulhar na cultura dos povos indígenas e se tornar talvez a maior especialista do mundo na música dessas nações.

Mas enfim, fui para os Estados Unidos com um contrato para trabalhar na noite. Porém tinha mais e maiores expectativas, queria que minha música se expandisse por lá, sonhava com trocas e interações com o povo do jazz. Era um bom momento para isso, e Egberto gentilmente me passou o telefone de um amigo seu, nosso ídolo em comum, o genial arranjador Gil Evans. "Pode ligar em meu nome, tenho certeza de que ele vai adorar conhecer você", disse ele. Com essa recomendação no bolso, passadas as primeiras semanas em NY, liguei para o número que me fora dado.

Era verdade: Gil foi supergentil, anotou meus contatos e ficou de ligar de volta. Alguns dias se passaram e nada. Achei que ele provavelmente se esquecera de mim e segui em frente.

Não demorou muito tempo, comecei a receber telefonemas seguidos de alguém chamado Dan Doyle. Recados na secretária eletrônica do apartamento onde eu me hospedava, bilhetes deixados pela mulher do anfitrião (*Joyce, please call Dan Doyle*), recados no meu local de trabalho. Eu não fazia ideia de quem fosse a pessoa e fiz algumas tentativas de ligar de volta para o número que ele deixara. E ele nunca estava. Num certo ponto, cansada de procurar por um desconhecido, perguntei à pessoa que me atendera quem era Dan Doyle. Ouvi uma risada do outro lado da linha, e a pessoa respondeu: "Sei lá, acho que nem ele mesmo sabe direito quem é..." Uma resposta bastante complexa, mas típica daqueles anos 1970.

Finalmente aconteceu de eu estar perto do telefone quando ele me ligou e descobri que se tratava do *manager* de Gil Evans, que queria me convidar para assistir a um ensaio e ao posterior show de sua orquestra. Que alegria! Claro que vou, me aguardem. E lá fui eu.

O ensaio era num *loft*, como estava se usando em NY na época – grandes espaços outrora ocupados por fábricas e pequenas indústrias, sendo transformados em lugares de moradia, com os novos moradores criando suas próprias divisões internas. Fiquei ali quietinha, sem dar um pio, observando aquela orquestra composta por músicos espetaculares, em plena criação. E muito me alegrou ver que na bateria (que sempre é a alma de uma banda) estava uma mulher – Susan Evans, que não tinha parentesco algum com o chefe. Isto era ainda, mesmo em NY, um pioneirismo.

Nesse ensaio havia outro espectador, um rapaz mais ou menos da minha idade, e conversando com ele percebi que era um ativo militante da causa dos direitos civis dos negros. Achei que devia lhe dizer que nós no Brasil vivíamos a opressão de uma ditadura militar e tínhamos total simpatia pela causa negra norte-americana. Nós quem, cara-pálida? Ele me perguntou, na lata: "Você por acaso se considera branca?"

Fiquei sem graça, pois nunca essa pergunta tinha me ocorrido antes. Minha querida cor de canela, tão carinhosamente trabalhada em anos de praia, não seria bem recebida por gringos de nenhuma etnia: ali se era branco ou preto – latinos ainda não contavam.

Brasileiramente, cheia de Darcy Ribeiro nas ideias, tentei explicar que no Brasil ninguém era branco, e isso não era uma questão, pelo menos não oficialmente, como nos Estados Unidos de então, onde alguns estados ainda usavam práticas de segregação racial. Era, na época, o que eu acreditava. Mas para mim, naquele momento, a ficha caiu: eu não era branca mesmo, e nenhum de nós, brasileiros, é. Não para os padrões norte-americanos... Depois fiquei sabendo que o rapaz era um talentoso pintor abstrato e que havia rumores de que ele seria um filho não reconhecido de Miles Davis.

Assisti ao ensaio e ao show – a Gil Evans Orchestra tocava às segundas-feiras num lugar chamado Sweet Basil, no Village. Foi a primeira de várias audições, e embora eu e o maestro tenhamos conversado menos do que eu gostaria (culpa da minha timidez e também da discreta postura dele, muito *cool*, como bom canadense), fiquei bastante feliz por estar ali vendo aquele som incrível tão de perto. Considerei que lá estava como aluna ouvinte e me dei por satisfeita.

Criei coragem e perguntei a Gil como ele fazia para reunir tantos e tão sensacionais músicos na sua orquestra. A resposta que ele me deu, utilizo até hoje, quando me perguntam a mesma coisa: "É que eu tenho uma boa agenda telefônica..."

JOHNNY MANDEL

Os sinais de fumaça começaram a chegar em 2004: na Flórida, onde eu estava recebendo um prêmio; no Japão, onde eu estava em temporada. "Johnny Mandel quer falar com você", *ligou, deixou recado*... Johnny era um dos meus ídolos desde sempre, compositor e arranjador maravilhoso, e imediatamente fiquei ligada, pois tal interesse só poderia significar alguma coisa muito maravilhosa também. Finalmente nos falamos (os e-mails eram ainda lentos e, de qualquer forma, ele não tinha, nunca teve). Combinamos que eu iria vê-lo quando passasse por Los Angeles, pois ele simplesmente queria que gravássemos um álbum juntos.

Em 2006, finalmente, fui visitá-lo. Johnny primeiro marcou um almoço comigo e com seu *manager*, garantindo: *"he's a doer"* (um cara que "resolve tudo"). Ele estava fazendo oitenta anos e pretendia gravar um álbum comemorativo para o qual me convidou a participar. E queria também que fizéssemos outro álbum juntos, nos moldes do que fizera com Shirley Horn, só que com repertório autoral, meu e dele. Depois de ter gravado com Claus Ogerman em 1977, gravar com Johnny Mandel, literalmente, era só o que me faltava!

Fiquei desconfiada com o tão celebrado *manager*, não senti firmeza, mas como Johnny estava tão entusiasmado com a ideia de gravarmos juntos, relevei. Na saída do restaurante, o celebrado *manager* me presenteou com o CD de uma artista que ele estava representando – "para você entender o tipo de artista em que minha companhia está investindo". Era uma menina de catorze anos. Na flor dos meus então 58, captei rapidamente a mensagem: esse projeto com o Johnny não vai acontecer.

Depois do almoço, eu e Johnny fomos para a casa dele em Malibu, onde Mrs. Mandel nos aguardava para o chá. Bela casa, com uma vista deslumbrante do Pacífico e um lindo jardim, xodó da dona da casa, onde se via uma placa com os dizeres *"The kiss of the sun for pardon/ The song of the birds for mirth/ You are nearer God's heart in a Garden/ Than anywhere else on Earth"* (citação da poeta inglesa Dorothy Frances Gurney, bastante popular entre apreciadores de jardinagem). Conversamos, trocamos ideias sobre como seria nosso projeto, ouvimos música – ele retirou de sua estante de LPs um exemplar do *Feminina*, dizendo que era um de seus favoritos – como se estivesse tudo garantido, conforme ele tinha certeza que estaria.

Saí de lá com um monte de material dado por ele: partituras, um *songbook*, CDs com gravações domésticas, compilações. E algumas frases que jamais esquecerei:

▮: Sobre as canções de Natal mais bonitas do cancioneiro norte-americano terem sido feitas por compositores judeus (ele, inclusive): "Porque Jesus era um dos nossos rapazes, é claro!"

▮: Sobre sua concepção de arranjo: "Sou um harmonizador, gosto de rearmonizar as músicas"; "eu vou onde você não estiver: meu trabalho é colorir e preencher os espaços que você deixa na música."

Claro que nenhum dos projetos aconteceu, nem o meu nem o dos oitenta anos dele. Mas nunca perdemos contato. Foram vários anos de esporádicas, mas longas conversas ao telefone sobre música e vida, ele sempre na esperança de que voltassem os tempos em que era possível gravar com grandes formações orquestrais. Agora que ele se foi, rezo para que, onde tiver chegado, orquestras de anjos o recebam com harpas, violinos, cellos, flautas, e tudo o que ele usou em sua música com tanta precisão e maestria. ~

JAZZ NA DINAMARCA

De vez em quando me convidam para dar aulas e workshops de música brasileira pelo mundo. Já fiz isso para alunos franceses, finlandeses, suecos, japoneses, italianos, americanos, gente de diferentes níveis musicais. Em 2008 o convite partiu da *Summer Session Clinic*, em Vrå, na Dinamarca. E era um workshop para músicos profissionais... Eu já fizera antes este tipo de trabalho mais de uma vez, na Dinamarca mesmo, para alunos do Conservatório de Música de Copenhague. Mas para profissionais, era a primeira vez. Confesso que tomei um susto quando identifiquei no meu grupo de alunos o próprio diretor do Conservatório, o excelente baixista Peter Danstrup. Que responsa!

Os professores eram diversos, todos com maior conhecimento teórico que eu: o trompetista e vocalista norueguês Per Jørgensen; o legendário contrabaixista tcheco, membro fundador do Weather Report, Miroslav Vitous; dos Estados Unidos vieram o baterista Jeff "Tain" Watts', o jovem organista de NY Sam Yahel, e o inacreditável, aos (então) 87 anos, flautista e saxofonista Yussef Lateef (com seu assistente, o percussionista Adam Rudolph). Tanta competência junta poderia me deixar intimidada, mas logo entendi que certamente não fora convidada em função de conhecimentos teóricos e sim de outros saberes que alguém como eu teria para oferecer.

Antes de começarmos os trabalhos, haveria um concerto nosso, dos professores, para que os alunos nos vissem tocar. Fiquei meio com um pé atrás, de início: tantos jazzistas juntos haveriam de querer tocar jazz norte-americano, donde eu, brasileira, estaria meio deslocada. Logo na chegada, Per, o norueguês, me procurou: tinha as mesmas preocupações que eu, e sugeriu que nos apresentássemos juntos num duo à parte, na abertura do concerto. Como o trabalho dele é todo desenvolvido a partir de música orgânica e criativa, com ele usando, além do trompete, voz e percussão corporal, foi fácil acharmos um denominador comum e rapidamente criamos um formato para a boa e velha "Upa neguinho", que ele não conhecia, mas de quem ficou íntimo em minutos.

Só que na reunião dos professores para combinar o repertório do concerto, surpresa: nenhum deles queria tocar *standards* de jazz. A começar por Yussef, que foi logo dizendo *I don't do standards*. Na verdade, a lista das coisas que ele não faz é enorme, pois trata-se de um *black muslim*, muçulmano norte-americano, da velha escola Malcolm X, que, entre outras estranhezas, não aperta a mão de mulher, para não tocar em possíveis "impurezas" – o que me deixou bastante constrangida no primeiro encontro, ao ficar com a mão abanando diante dele. Depois entendi que era assim mesmo e fui em frente. Mas que é esquisito, é, com todo respeito...

Enfim, Yussef não queria tocar *standards*, Miroslav não queria tocar *walking bass*, nada que lembrasse o jazz americano da forma como é conhecido, e os professores mais novos, Yahel e Watts, não querendo ficar para trás, também disseram que não. Decidiu-se, portanto, que o concerto seria *free*.

Free jazz me dá arrepios: respeitosamente, detesto, quase tanto quanto detesto *fusion* – e nunca consegui escutar até o fim um disco de Ornette Coleman. A única vez em que estive num concerto dele, saí na metade, pois sempre chega um momento em que simplesmente acaba o assunto e tudo fica sem sentido, por maior que seja a boa vontade do ouvinte, e o que era para ser música livre vira uma espécie de masturbação coletiva. Com todo respeito, de novo.

Mas quem está na chuva tem de se molhar, e portanto lá fui eu participar de uma *free session* pela primeira vez na vida. Tá bom, pela primeira vez em público, pelo menos, pois é claro que em ensaios e brincadeiras caseiras rola de tudo. Mas com plateia – e plateia de músicos profissionais, ainda por cima – foi a primeira vez mesmo.

E não é que deu certo? Acabou rolando música de alta voltagem criativa, e a voz usada como instrumento foi uma boa ferramenta para lidar com isso. Já no finalzinho, quando parecia que iria desandar o bolo, Watts, esperto, puxou uma levada rítmica que imediatamente me remeteu às levadas daqui, e foi a minha deixa para que o violão entrasse em cena – aplausos frenéticos da plateia, e o que era *free jazz* acabou mesmo em baião, para alegria geral. Até Yussef se empolgou, esqueceu que era muçulmano e puxou um blues (cantado) daqueles de igreja gospel, quem diria... Cada um dá o que tem – e viva o Brasil!

Impossível deixar de relatar aqui a mudança dramática no relacionamento com os colegas professores, a partir desse concerto. De início, nos primeiros dias, eu me sentia olhada meio de lado, até com certa arrogância, pelos professores norte-americanos (os europeus Per e Miroslav foram gentilíssimos desde o começo, devo dizer. Os outros pouco falavam comigo – a única mulher, e brasileira, ainda por cima...). Depois do *free* que virou baião, com o violão e a voz botando as coisas em perspectiva, todos ficaram gentis e amiguinhos, e até a discretíssima Mrs. Lateef, esposa de Yussef, coberta de véus muçulmanos da cabeça aos pés, veio me transmitir um recado do marido: se eu quisesse tomar café da manhã com eles no dia seguinte, seria bem-vinda. Quanta honra.

Seguiu-se toda uma semana de aulas intensivas, um período lindo, mas com uma *blue note* no final. Depois de passar a semana inteira "explicando" (entre outros bambas) Dorival Caymmi aos meus alunos escandinavos, fazendo analogias entre a música dele e a de Debussy, e demonstrando que sem Dorival não haveria João (Gilberto), chegou a notícia de sua morte no sábado, bem no dia do concerto final das turmas. A comoção foi enorme, e muita gente que tinha aprendido a entendê-lo e amá-lo pela primeira vez chorou comigo. Eclipse da lua no interior da Dinamarca, tristeza sem fim. ～

A mpb tem resposta pra tudo

A MPB TEM RESPOSTA PRA TUDO

Ser feliz é tudo o que se quer. Mas a dor da gente não sai no jornal. É impossível ser feliz sozinho, então vamos a Teresa na praia deixar. Tudo é só uma questão de manter a mente quieta, a espinha ereta e o coração tranquilo. Eu fico com a pureza da resposta das crianças. Você não gosta de mim, mas sua filha gosta. Uma bomba sobre o Japão fez nascer o Japão na paz. Quem sabe o Super-Homem venha nos restituir a glória? Glória a todas as lutas inglórias. Massacro meu medo, mascaro minha dor, já sei sofrer. Sofres porque queres. Que queres tu de mim? Pra mim um samba é bom quando é cantado assim. Só por documento eu carrego um coração que anda espiando, procurando uma canção. Tudo é samba, e samba é tudo o que Deus abençoou. Tudo certo como dois e dois são cinco. Por isso uma força me leva a cantar. E amar, e amar a vida. Ê, vida voa, vai o tempo, vai. Tempo, tempo, tempo, tempo, faço um acordo contigo. Acorda, amor, eu tive um pesadelo agora. Agora, colega, veja como carregado eu vinha. Não tem solução. Só louco. A lua quando ela roda é nova, crescente ou meia-lua, é cheia. Meu canto não tem nada a ver com a lua. Ouça-me bem, amor, preste atenção: o mundo é um moinho. É o juízo final. Minha esperança é Deus no céu. Luz, quero luz. Sei que além das cortinas são palcos azuis e infinitas cortinas com palcos atrás. Você que inventou a tristeza, ora, tenha a fineza de desinventar. Cuidado, há um morcego na porta principal. É pau, é pedra, é o fim do caminho. O caminho é deserto e o lobo mau passeia aqui por perto. Ostra nasce no lodo, gerando pérolas finas. Sinto alegrias, tristezas e brinco.

E tudo mais jogo num verso intitulado mal secreto. ~

ALGUÉM CANTANDO

Adoro cantar. Pra mim é um prazer sensorial, igual a nadar no mar, encarar um belo prato de comida, fazer amor com quem se ama e outras delícias. Pura diversão. Mas fico injuriada quando sou classificada como "a cantora". Pior ainda, "a cantora Joyce". Vai ver que isso influiu na decisão de usar meu sobrenome, em vez de ser identificada pela minha profissão mais visível... (Não, mentira, foi pra facilitar a busca no google...)

Mas cantora não me sinto, embora respeite muito quem é. Trata-se de nobre atividade, em que a voz amplifica as canções e transmite aos ouvintes o sentimento e a intenção dos autores – e muitas vezes encontra intenções ocultas também. A voz pode ser um instrumento a mais, pode ser usada com ou sem inteligência (com é sempre melhor), pode ser veículo para o intérprete, pode quase tudo. Aí é que moram os detalhes.

Cantores e cantoras têm A Voz. A Voz é um dom de Deus, ou da vida, ou da natureza, como queiram. Não é mérito nenhum, é uma loteria genética que vem com a criatura quando nasce. Já vi pessoas possuidoras de aparelho vocal fabuloso, que não sabem o que fazer com ele. Usam mal, ou excessivamente – acho um horror cantores e cantoras que "mostram serviço", o que nada tem a ver com a tradição vocal brasileira, mas parece estar muito na moda nos dias de hoje. "O meu é maior que o seu": cantores e cantoras podem ser competitivos(as) ao extremo. A maioria, infelizmente, ainda é. Principalmente quando a Voz é privilegiada.

Por outro lado, há os cantores e cantoras que usam o que às vezes é um fiapo de voz com inteligência absoluta. Vocês também já viram. Esses e essas, embora muitas vezes desprezados pelos cantores e cantoras que têm A Voz, acabam deixando suas marcas na história da música. São tantos e tantas. Teclo estas palavras e penso em Miúcha, Blossom Dearie, Nara Leão.

Há ainda os cantores e cantoras-músicos. Blossom Dearie se encaixaria também nessa definição. Têm o instrumento como norte, ou como apoio. Depende muito do(a) instrumentista que se é. Para Shirley Horn, era o norte. Isso às vezes me deixa em situação difícil: é o violão quem escolhe os tons em que vou cantar, e não a voz. Previsível encrenca, e a voz que lide com isso.

E há os cantores e cantoras compositores(as). Nessa faixa, até me incluo. A cantora que sou sustenta os luxos da compositora que jamais deixarei de ser. A compositora já foi melhor remunerada, hoje anda pobrinha e dependendo do seu duplo – a cantora – para viver confortavelmente. A cantora trabalha muito. Rala mesmo. Pois a compositora é exigente e não abre mão de certos princípios. Na verdade, a cantora também não... Mesmo assim, prefiro que me ponham na prateleira dos compositores, por gentileza. No futuro, vocês vão ver que eu estava certa. ～

MAS COMO É QUE VIVE O COMPOSITOR?

Quando a pessoa se candidata ao ofício de compositor geralmente pensa no glamour, na veleidade de ouvir sua canção cantada por uma voz conhecida, cantada por muitas vozes, talvez. Cair em domínio público, sua canção ser assobiada nas ruas ("a única fama que eu invejo", dizia Manuel Bandeira sobre Vinicius de Moraes).

Pois é. Todo o mundo gosta de abará, mas ninguém quer saber o trabalho que dá...

Porque é assim:

Compor dá trabalho. Compor É um trabalho: 10% de inspiração e 90% de transpiração, já disse alguém. Eu discordo, acho que a inspiração leva bem mais que 10%, e isso explica o grande número de "vocações sem talento" (como dizia uma amiga minha). A pessoa pensa que só a transpiração é o bastante... e aí fica faltando aquele não-sei-quê que faz a confusão.

Ninguém aprende samba no colégio, e é por isso que hoje os EUA vivem grave crise de criatividade no cancionismo. Instrumentistas maravilhosos, mas quase nenhum grande novo compositor de canções, o chamado *songwriter*. A pessoa chega na universidade e "aprende" a compor. Como se isso se ensinasse ou tivesse alguma fórmula mágica. Segundo João Donato, os Estados Unidos são uma maravilha, tem manual pra tudo, e *how to write a song* fica na mesma estante de *how to fry an egg*. Gênio!

A arte de compor canções é mesmo coisa do século passado. Na música brasileira, então, às vezes a gente tem a impressão de estar falando uma língua morta, como sânscrito ou latim. E, no entanto, alguns maravilhosos abnegados persistem.

Ninguém faz samba só porque prefere. Mas todo o mundo quer ser compositor... Viver de sua arte é que são elas.

Minha geração de compositores pegou a época de ouro do século XX, quando se vendiam discos e a música que fazíamos tocava nas rádios, nos tempos pré-jabá. Se um artista importante gravava, por exemplo, uma canção de alguém, era sinal de prosperidade relativa naquele ano. Um letrista, ou um compositor que não fosse cantor ou artista de palco – um Aldir Blanc, digamos – tinha chance de sobreviver com certo conforto. E se não houvesse contratos leoninos (quase sempre havia), éramos donos de nossas obras –, e isso até aparece na constituição brasileira ("são obras intelectuais protegidas as criações do espírito, expressas por qualquer meio" etc...).

Antes de o ECAD existir, havia cerca de dez ou mais sociedades autorais que recolhiam – todas, e ao mesmo tempo – os direitos dos seus autores. Não havia computador, as contas eram feitas na ponta do lápis. Quem pertencesse a uma não podia ter um parceiro que fosse de outra – o que explica a grande quantidade de músicas com pseudônimo na época, muitas vezes das esposas dos criadores.

Na metade dos anos 1970, um grupo de treze compositores filiados à SICAM pediu para verificar as contas e foram todos expulsos da sociedade por isso. A classe se uniu em defesa desse grupo, e criou-se a Sombrás, presidida por Tom Jobim e vice-presidida por Hermínio Bello de Carvalho, com sede no Museu de Arte Moderna. Tom era presidente de honra, nunca aparecia por lá e sua condução ao posto teve lá sua graça. Como conta nosso amigo Jards Macalé:

"Lembro-me que quando levei a Tom Jobim, na casa dele, a notícia de que o tínhamos eleito presidente da Sombrás, ele – de pijaminha azul-hospício – falou em voz alta: Teresa (sua mulher na época), traga-me o revólver... querem me fazer Presidente!

"E foi nosso Presidente de fachada. Deu uma procuração para Hermínio Bello de Carvalho, que se tornou nosso Presidente em exercício. Tanto na nossa sede como na casa de Hermínio, discutimos exaustivamente a questão de *nuestros derechos*. Direitos de todos os que criam objetos de Arte. Todos, sem exceção."

Tempos heroicos mesmo. A Sombrás se reunia no MAM e se mantinha com a realização de shows coletivos, no tempo em que fazer show sem patrocínio dava algum dinheiro. Como estávamos em plena ditadura militar, tínhamos ainda que lidar com a questão da censura, que não era brincadeira. Ser compositor era muito bom, sim, mas os tempos não estavam nada fáceis.

Porém uma incipiente abertura política já se iniciava no Brasil. Uma comissão de compositores foi a Brasília conversar com então o ministro da Educação (não havia na época a separação entre os ministérios de Educação e Cultura), e dessa reunião surgiu a centralização da arrecadação através do ECAD e a criação do CNDA (Conselho Nacional do Direito Autoral), que seria um órgão fiscalizador e normativo. As sociedades autorais reclamaram muito por isso, pois tinham perdido sua função. E conseguiram, anos depois, voltar ao funcionamento, como repassadoras dos direitos arrecadados.

Entre os anos 1984 e 1986 fui convidada e aceitei fazer parte do CNDA. Fiz isso para cumprir o que eu considerava uma espécie de dever cívico. Eu me sentia em dívida com o CNDA que, a partir de uma reclamação e um processo meus, me ajudara a recuperar quase todo o meu repertório, preso a uma editora multinacional (aqueles contratos *forever* que a gente assinava antigamente). Tendo recuperado minha obra de até então, pude em 1980 abrir minha própria editora, que ficou sendo a segunda editora de autor no Brasil (a primeira foi a Três Pontas, do pessoal do Clube da Esquina). A Feminina Edições Musicais existe até hoje, custa caro para manter, mas minha obra é minha e ninguém tasca. Graças a Deus.

Enfim, topei fazer parte do quadro de compositores do CNDA naquele momento, junto com Maurício Tapajós, Gonzaguinha, Capinan, Marcos Vinicius e Fernando Brant. Os outros membros eram, na maior parte, respeitados advogados, alguns simpáticos à nossa causa, como Pedrylvio Guimarães e Hildebrando Pontes, outros trabalhando (e fazendo lobby, naturalmente) para grandes gravadoras. Isso significava ir uma vez por mês a Brasília e lá discutir processos ligados aos titulares de direitos, muitas vezes trazendo esses processos para casa e, com a ajuda do excelente departamento jurídico do CNDA, formular nossos pareceres. Era um trabalhão, não remunerado, diga-se de passagem. Recebíamos um pró-labore que quase dava para pagar hotel e refeições. Mas foi uma experiência interessante. Eu, pelo menos, aprendi muito nesses tempos. E esse aprendizado me fez ficar mais esperta para lidar com minha própria obra.

Hoje isso já não tem a menor importância. Alguém aí ainda compra CDs? Alguém conhece alguém que ficou rico com execução em mídias digitais? Alguém ainda recebe direitos de autor? Mas como é que vive o compositor?

Fala tu. ~

AQUELES QUE VELAM PELA ALEGRIA DO MUNDO

Muitos anos atrás participei de um debate na Casa Laura Alvim, a convite do meu amigo Herbert de Souza, o Betinho. Era um debate sobre "realidade brasileira". Na mesa dos debatedores, alguns notáveis como Millôr Fernandes, Ferreira Gullar, Ziraldo, e três músicos: eu (até hoje não sei por que estava lá, mas o Betinho era assim, me convidava pra tudo), Ruy Faria (do MPB4), e um roqueiro em brilhante início de carreira. Fazendo a ponte entre os dois grupos, Hermínio Bello de Carvalho, que abriu a sua fala perguntando, a nós e à plateia: "Alguém aqui já esteve no Retiro dos Artistas?" E prosseguia, descrevendo o dia a dia solitário dos idosos que um dia já foram famosos e queridos e que, em dificuldades, precisaram buscar acolhimento naquela casa. Hermínio pretendia, na verdade, chegar ao clichê do país-sem-memória, tocando num ponto sensível a todos nós, as artes.

Sentado ao meu lado, o roqueiro não parecia levar aquela história muito a sério. Foi o que deduzi quando ele me perguntou baixinho, rindo: "Você já fez sua visita hoje ao Retiro dos Artistas?" – antes de fazer sua intervenção inteligente e caótica e sair voando numa moto, entre aplausos.

Ele era ainda ali bastante jovem e o seu grupo mal começava a trajetória para o sucesso, que viria a se consolidar durante a década. Hoje, mais velho, imagino se ele e outros de sua geração não terão pensado um pouco mais no assunto quando, por exemplo, viajavam num desses jatinhos de táxi aéreo para cumprir um compromisso profissional em, digamos, Carajás, saindo de madrugada de Ribeirão Preto. Porque na verdade, ser bem-sucedido como artista popular no Brasil significa, em última análise, não só vender muitos discos (que já não mais se vendem), mas também correr contra o tempo, tentar fazer o pé-de-meia o mais rápido que se possa, em suma: fugir ao destino inexorável do Retiro dos Artistas.

Vocês pensam que estou exagerando? Pois no hoje distante ano de 1996, enquanto a polêmica dos altos (para a época) cachês do réveillon tomava conta da cidade, a gente podia ler numa nota miúda de jornal que Alberto Ruschel, ator que foi ídolo do cinema nacional nos anos 1950, com pelo menos uma participação histórica (no filme *O cangaceiro*), morria aos oitenta anos num hospital público, saído, adivinhe de onde? Acertou, do Retiro dos Artistas. No mesmo caderno, em página um pouco maior, estava o genial ator Rubens Corrêa lutando contra a AIDS e contra as dívidas, tentando salvar seu teatro e sem poder pagar pelo tratamento.

{Atenção: tudo é perigoso – e é preciso estar atento e forte...}

Alguém ainda duvida que ser artista neste país é profissão de alto risco? Pois que não reste a menor dúvida. Quando escolhemos a arte como profissão, seja qual for a modalidade, uma das primeiras coisas que aprendemos é não desprezar oportunidades, pois não se sabe quando outras aparecerão. Não há de ter sido por outra razão que Santo Antonio Carlos Jobim não se fazia de rogado ao receber convites para aparecer em comerciais de TV, emprestando sua infinita credibilidade a cervejas, cartões de crédito e até sabonetes. Uma escolha sua que deve ser respeitada. Metade de sua obra não lhe pertencia e sim a editores com quem assinou contratos indecentes no início da carreira. O mestre, como todos nós, precisava garantir o que os americanos chamam de *make a living*. A tal da sobrevivência.

Às vezes, morre-se disso. Como aconteceu aos rapazes do grupo Mamonas Assassinas, entristecendo o país com sua partida prematura. E ao meu amigo querido Gonzaguinha, que em fase menos feliz de carreira também se arrebentou numa estrada do Paraná com o carro, quando fazia a famosa turnê-voz-e-violão das entressafras. Para quê? Para nada. Ou para ganhar a vida. Artista não envelhece, não fica doente, não se aposenta, porque não existe previsão em nosso trabalho para isso. Morremos cedo ou sumimos na poeira do tempo; uns poucos mais organizados dentre nós irão, quem sabe, se dar bem. Quem não souber administrar o sucesso na hora certa, talvez possa ser encontrado em Jacarepaguá, daqui a algumas décadas. Se até lá não tiverem fechado o Retiro dos Artistas.

{Como disse a formiga para a cigarra, na fábula de La Fontaine: "Cantou? Agora dance!" Ou melhor ainda, como um dia disse Carlos Lyra: "Quanto ganha por mês um embaixador aposentado?" Pois isso é o que somos, mas o Brasil ainda não sabe.}

Quanto a mim, com mais horas de voo que muito piloto de avião, continuo seguindo em frente enquanto a música me quiser. Porque somos aqueles que velam pela alegria do mundo e temos de honrar nosso dom. E é assim que continuo, várias vezes por ano, cruzando o planeta e fazendo a propaganda enganosa de um Brasil que hoje é apenas uma fotografia na parede da memória. Mas como dói! ~

DA COR BRASILEIRA
(Um Jobim na África)

No ano 2000 fui convidada para participar do *Arts Alive Festival*, que reunia artistas de todo o continente africano, para representar o Brasil, país que naquele ano os organizadores queriam homenagear – grande exemplo da diáspora africana pelo mundo. A (in)correção política de tal escolha não chegou a ser um problema. Até hoje não sei definir a que etnia/raça pertenço. E me alegrou saber que a escolha se deu pelo som de minha música e não por qualquer outra razão. Fui com meu grupo para Johannesburgo. Em outras cidades do país se apresentaram Beth Carvalho com seus músicos, representando o samba, e o trio de Hamilton de Holanda, o choro. A música brasileira é mestiça como nós também somos.

Já na chegada, as duas simpáticas mocinhas indianas da produção que nos receberam tiveram que responder às nossas indiscretas perguntas: como seríamos classificados racialmente, caso ainda houvesse *apartheid* no país? Elas nos examinaram detidamente e foram dando as classificações prováveis. Teco Cardoso e Maurício Maestro: brancos; nossa produtora Beth Bessa: *colored*. Eu e Tutty: inclassificáveis. Nossa morenice de famílias mistas, carioca no meu caso e baiana no caso dele, confundira as moças, que se entreolharam, pensando, até que uma delas falou: "Vocês dois, não sei. Não tem essa mistura por aqui."

Estávamos, portanto, como todo o nosso grupo, representando o Brasil, com nossa *exótica* mistura de tonalidades de pele. Somos mesmo da cor brasileira. É bom lembrar que, não muito tempo antes, os casamentos mistos na África do Sul davam cadeia. Portanto seria preciso esperar mais uma geração ou duas para que cores como as nossas, tão naturais por aqui, começassem a aparecer por lá.

Tivemos maravilhosos anfitriões musicais nessa viagem, como Cypho "Hotstixs" Mabuse, um músico e produtor sul-africano, certamente um dos mais bem-sucedidos do seu país, e Sybongile Khumalo, maravilhosa cantora, uma das grandes divas da África, onde grava nos idiomas inglês e zulu, com ótimas vendagens e enorme prestígio.

Os dois têm muito em comum, a começar pela origem: cresceram juntos no mesmo gueto, em Soweto, distrito de Johannesburgo, nos anos duríssimos do *apartheid*, e foram abrindo caminho na carreira musical com coragem e competência. Outro dado em comum entre eles é a paixão pela música brasileira – para minha alegria, os dois haviam incluído, já há bastante tempo, a versão em inglês de "Mistérios" em seus repertórios.

Neste exato momento (fazendo de conta que ainda estamos no ano 2000), tomamos um chá na casa de Mabuse, que fica no mesmo bairro em que ele cresceu. "A primeira coisa que o negro faz aqui quando se dá bem na vida é sair do gueto", nos conta ele. "Já eu faço questão de continuar morando no mesmo lugar e ser uma referência para essa garotada que está aí." De fato, a casa de nosso anfitrião é uma referência em todos os sentidos, especialmente no bom-gosto e nas deslumbrantes peças de arte, vindas de todo o continente.

Mas o que mais acende a nossa conversa é a pergunta que acabamos de ouvir no conservatório de Soweto, onde fizemos uma oficina sobre música brasileira, e que Mabuse nos repete, insistente: "Como é que vocês no Brasil conseguiram preservar a identidade cultural na música de maneira tão forte?" Ele não pergunta isso à toa: acaba de ser realizada aqui a Semana de Música Sul-Africana, com enormes dificuldades, inclusive de público. A cultura local sofre esmagadora influência do pop norte-americano e sua única manifestação bem recebida tem sido uma espécie de rap em zulu.

{Ouvi a mesma pergunta quando fui fazer o programa de TV *Good Morning Africa*, às seis da manhã do dia seguinte... O Brasil pode não conhecer o Brasil, mas o mundo conhece o melhor da música brasileira. E isso me consola.}

Mabuse prossegue, dizendo: "Tudo o que precisávamos era ter tido um Jobim na África. Imagino que Antonio Carlos Jobim seja o mais respeitado de todos os brasileiros, já que a música dele é a maior referência cultural do Brasil no mundo." Ah, meu amigo, agora é que você se engana. Preciso lhe contar duas ou três verdades sobre o meu querido país.

Pra começo de conversa, o que se escuta nas rádios brasileiras já está dominado faz tempo. Não quero desfazer sua ilusão, mas pelo andar da carruagem, o povo brasileiro daqui a poucos anos não vai mais sequer saber o que foi a música brasileira do século XX. E não, os intelectuais do Brasil não estão unidos em defesa da identidade nacional, muito pelo contrário. Imagine você que até hoje há quem acuse o nosso bom Tom pelo fato de ter nascido branco, numa família de classe média. Pois é. O nosso *apartheid* é assim meio engraçado, o pessoal às vezes atira pelos motivos certos na direção errada. Racismo, claro que temos. E não é pouco, mas Tom Jobim não tem nada a ver com isso.

Música não tem cheiro nem paladar nem cor, a não ser se pensarmos pelos cânones impressionistas de um Debussy, responde meu amigo Mabuse. E eu completo: no Brasil, de onde menos se espera, sai um milagre. Coisa divina, sabe como é? O que poderia explicar a existência de músicos como Hermeto Pascoal, albino de Arapiraca, em Alagoas, ou Moacir Santos, nascido em Flores, Pernambuco, ambos vindos de ambiente rural, famílias de agricultores paupérrimos, sem estudo formal de nenhuma espécie, e que produzem música sofisticadíssima, de deixar o mundo boquiaberto (e que o povo, o famoso "polvo" brasileiro, desconhece)? Pois é.

{Nesse ponto da conversa, nosso amigo suspira: *tanta música neste mundo...* Verdade.}

A música feita no Brasil – "flor amorosa de três raças tristes", segundo Olavo Bilac – já teve vários nomes para tentar defini-la, e MPB certamente foi o menos feliz de todos. Mas na grande árvore genealógica dessa que é, de longe, a mais bem-sucedida manifestação cultural do nosso país, o samba está para a bossa nova assim como o blues está para o jazz, como o pai para o filho. Um é raiz, o outro é fruto. A bossa nova é, de fato, o equivalente brasileiro do jazz: o clássico moderno de origem popular, mundialmente amado e respeitado, que sobrevive (e sobreviverá, com seus descendentes) aos tempos que vivemos. E que deveria, sim, ser reconhecida como patrimônio imaterial da Humanidade, tendo Tom Jobim como patrono. O resto é discussão entre primos.

ARRANJO E ORQUESTRAÇÃO

Quando João Gilberto se acompanha, o violão é ele. Quando a orquestra o acompanha, a orquestra também é ele. (Antonio Carlos Jobim, 1959)

Vou entrar aqui num assunto meio polêmico: qual a diferença entre arranjo e orquestração? Para mim, essa diferença é claríssima. Arranjo é quando você define a forma da canção, ou a rearmoniza, ou a modifica ritmicamente conforme seu gosto, ou ainda a recheia com referências a outras canções... enfim, tudo o que um músico faz quando pega uma canção e a coloca sob medida para si mesmo(a) ou para outro(a). Um trabalho, digamos, de alfaiataria.

Já orquestração é um pouco diferente e envolve um tipo de conhecimento bastante específico: um conhecimento de timbres, instrumentação, escrita musical (de que o simples arranjo pode eventualmente não precisar), enfim, é um trabalho mais técnico, que exige anos de estudo, enquanto o arranjo pode ser feito "de bossa", pois é um trabalho mais intuitivo, de criação mesmo. Orquestração, dependendo de quem faz, para o bem ou para o mal, pode ser alta costura.

Existem geniais arranjadores/orquestradores – já trabalhei com alguns – e aí você está no melhor dos mundos. Gente como Johnny Mandel e Dori Caymmi, por exemplo, que não só rearmoniza e recria, como conhece toda a gama de sons de uma orquestra. Por outro lado, o grande Claus Ogerman, pela minha modesta experiência, é mais orquestrador que arranjador. Todos os arranjos que ele assina nos discos de Tom Jobim são exatamente a tradução para grande orquestra do que o próprio Tom já havia criado no piano. Eu já tinha visto isso em discos como *Urubu*, *Matita Perê* (este, com grande contribuição também de Dori) e outros. Mas não sabia que era sempre assim.

Quando gravei com Claus em 1977, vi que ele orquestrou (lindamente, a bem da verdade) tudo que eu e meu parceiro Maurício Maestro já fazíamos com nossas vozes e violões. Ou seja, não houve nesse caso uma contribuição criativa dele ao nível rítmico ou harmônico, e sim um trabalho de "vestir" nossa música, cuja alfaiataria básica já estava pronta.

Por que falo nesses dois, Johnny e Dori? Porque são arranjadores e orquestradores geniais, mundialmente respeitados e que, fico feliz em dizer, igualmente sempre me respeitaram como músico que sou. Músico: palavra (ainda) sem feminino.

Acontece que o fato de eu ser uma cantora ("canária", na visão preconceituosa de alguns em pleno século XXI) me desabilitaria para as funções de arranjadora, que exerço normalmente em todos os meus álbuns desde 1980. Não me formei na Berklee, não sei dizer exatamente a extensão de cada instrumento de uma orquestra – e, no entanto, sei exatamente o que vai e o que não vai soar nos discos que faço.

Sei qual será a melhor opção para um instrumento solista e distribuo as vozes dos sopros que irão se misturar com a minha própria voz, num só naipe. Posso criar uma introdução e um desenho rítmico que irá modificar a estrutura de alguma música já por demais batida, caso eu tenha a intenção de regravá-la (fiz isso, por exemplo, na minha gravação de "Upa neguinho" em 1998, num arranjo do qual até o autor gostou – Edu é famoso por não gostar de quase nada – ou de "Sambou, sambou", que Donato adorou e passou a usar sempre que vem tocar comigo). Posso também dar minha contribuição à harmonia da canção em questão, mesmo que seja só um acorde a mais, que não interfira na estrutura harmônica, mas faça uma graça para o autor. Tenho feito isso a vida toda e é por isso que não me sinto canária, embora cantar seja o meu maior prazer. A voz é um instrumento, como o violão também o é, para melhor expressar uma ideia musical que me venha, seja essa música minha ou não.

E se algum orquestrador quiser usar essas ideias, muito bem: mas não se esqueça de dar o devido crédito à "canária" que as criou...

{Nunca é demais repetir a frase de Johnny Mandel explicando para mim seu método como arranjador: "Eu trabalho assim: eu vou aonde você não estiver. Meu trabalho é preencher e colorir os espaços que você deixa na música." E quanta beleza ele sabia colocar nessas cores!}

TENHO FEITO FORÇA PRA VIVER HONESTAMENTE

Assistimos ao documentário de Marco Abujamra e João Pimentel sobre nosso queridíssimo amigo Jards Macalé. Ficamos felizes em vê-lo revisitado e reconhecido, com a importância que sempre teve. Eu, pessoalmente, gostei de rever a mãe dele, d. Lygia, que no filme aparece linda e cheia de saúde apesar de já idosa – ela era uma querida com todos os amigos e amigas que passavam pelo apartamento da família Anet na rua Visconde de Pirajá, em cima da papelaria Reis, no finalzinho de Ipanema.

Macalé também frequentava o apartamento de minha família, no Posto Seis, e chamava minha mãe de "Zemir, a pérola de Madagascar" –, um bom nome para uma possível continuação de *Sandokan, o tigre da Malásia*... Nós nos identificávamos também nas nossas origens, duas famílias de classe média-bem-média na Zona Sul do Rio. Uma das melhores amigas de minha mãe era justamente uma tia dele.

Tutty se reviu numa cena de super-8 em Londres, do arquivo pessoal de Macalé, nos anos 1970, ao lado de outros amigos. Revimos Giselda Santos, também amiga querida, na época companheira do Macao. Vimos e revimos muitas coisas que nos trouxeram lembranças de todo tipo.

Mas aí entrou a questão da "carreira". Soou estranha uma fala de Gilberto Gil sobre "os que cuidaram da carreira" e os que "não cuidaram". Gil – pessoa e compositor que tanto admiramos – normalmente é sábio e comedido em suas falas e pensamentos, mas aqui não deu para concordar. "Cuidar da carreira" é uma ideia subjetiva. Alguns de nós tivemos lá nossos embates com o sistema e fomos (ou não) punidos por isso. Outros fizeram as concessões que Gil diz serem necessárias a partir da própria vida, do encontro com o outro. Eu quero ter o encontro com o outro sempre levando em conta o que em filosofia se chama *the otherness of others*, ou a alteridade do outro (em inglês fica melhor). Ou seja, quero respeitar cada um e cada qual com suas diferenças, suas verdades, suas crenças e sua arte, até para que as minhas sejam respeitadas também.

No caso de Macalé, ele durante anos carregou e carrega nas costas a cruz do "artista maldito" que certamente não aguenta mais. E vamos combinar que maldito ele não é mesmo, seus shows sempre lotados por uma juventude que o reverencia e adora.

Constantemente me lembro de uma história engraçada, contada pelo querido Wilson das Neves, que tinha feito parte de um grupo nos anos 1950 chamado Os Milionários do Ritmo. Ele dizia, referindo-se ao líder do conjunto (não sei se justa ou injustamente): "Ele ficou milionário, nós ficamos com o ritmo..."

Malditos ou benditos, o fato é que milionários não ficamos. Estamos todos "fazendo força pra viver honestamente", como diz o belo samba mangueirense.

Por mim, posso dizer: não fiz carreira. Faço música. ～

A MINHA MÚSICA

A minha música é neta do samba, mas não é bem samba.
É filha da bossa nova, mas não é bem bossa nova.
É prima do Tropicalismo e do Clube da Esquina, mas não é nada disso.
É sobrinha distante da música do Nordeste, mas só às vezes se lembra do parentesco.
É amiga do jazz, que a recebe sempre com festa. Mas também não é bem isso.
Já esteve pop, mas nunca foi.
A minha música não tem estilo.
Ou, por isso mesmo, vai ver que tem.

A minha música é simples, mas pode ser meio esquisita. Nem sempre é confortável. Mas gosta de parecer fácil. A minha música também gosta de algum estranhamento – compassos quebrados, afinações malucas no violão.

{E vejam bem, não estou falando de letras. Estou falando de música. Puramente música}

Pois a minha música quase sempre tem arestas, é pontiaguda, é meio fora de esquadro – ou não.
Ela também pode ser muito simples, quase franciscana, se lhe der na telha. Pois ela é quem manda em mim.

Eu não mando nada na minha música. Ela vem quando e como quer. Não tenho controle nenhum sobre ela.

Mas ela sempre vem. Nunca me deixa na mão.

O canal vive aberto, para que ela desça sobre mim quando quiser. E ela sempre quer.

A minha música quer muitas coisas.

Quer ser ouvida.

Quer ser tocada (pois cantada ela já é).

Quer ser lida.

Quer existir e convidar outras músicas a existirem também.

A minha música não tem gênero definido, só porque foi feita por uma mulher.

{Em 1968 um jornalista duvidou que a minha música fosse minha, justamente por isso. Achou que era boa demais para ser de mulher.
Obrigada, cavalheiro. Mas sou mulher, sim, e as músicas são minhas. Pari 3 filhas e algumas centenas de canções. Posso provar.}

A minha música vem da grande árvore chamada Música Popular Brasileira, que é a mais perfeita tradução do Brasil. Aquela que se enraíza na cultura do povo brasileiro e nos lembra que, sim, somos um grande país. Apesar de tudo.

A minha música está ali naquela árvore frondosa, um galho pequenino com suas folhinhas. Mas lá está, morando ali, junto com seus outros parentes.

A minha música tem raízes, mas voa.

A minha música viaja bem.

A minha música paga minhas contas e bota o pão na mesa.

A minha música me aproxima do Divino. ～

Revendo amigos

GONZAGUINHA

Estive outro dia assistindo ao filme *Gonzaga, de pai para filho*. Estranho ver na tela uma história em que se conheceu pessoalmente quase todos os envolvidos. No caso desse filme, é ficção, não documentário, e isso traz todas as possibilidades de a história contada não ser fiel aos fatos. Mas, pra minha surpresa, parece que foi, sim.
 Não tive nenhuma proximidade com o pai, Gonzagão. Assim como Caymmi, era pai de amigo meu e, portanto, pra mim seria sempre "Seu" Luiz (ou "Seu" Dorival, no caso do Caymmi). Engraçado isso. É coisa de uma geração em que os pais eram chamados de *senhor* ou *senhora*. Hoje em dia ninguém mais trata os pais assim, pelo menos até onde eu saiba. Lá em casa fui a única a romper com isso e chamar minha mãe de *você*, o que meus irmãos maiores nunca tiveram coragem de fazer. Mas minha geração tem, ou tinha, essa formação que nos foi imposta, de demonstrar respeito aos mais velhos dessa forma. O que eles mesmos muitas vezes achavam besteira.

{César Faria, por exemplo, o maravilhoso violonista do Época de Ouro, reclamava comigo por eu chamá-lo de "Seu" César. Expliquei que ele era pai de meu amigo Paulinho da Viola e, portanto, seria sempre "Seu" César pra mim. E ele: *mas o Dino, você chama de você!*

Tive de explicar que conhecera Dino Sete Cordas antes de ter conhecido o Dininho, filho dele. Portanto me sentia à vontade para lhe dar esse tratamento. Assim como Tom Jobim era o Tom pra mim, bem antes de ser o pai do xará do filho do "Seu" César, Paulo também. E Vinicius, então, nem se fala. Mas Vinicius não vale como exemplo: ele era sempre um de nós, fosse quem fosse esse nós. Imagina se alguém iria chamar o Poeta de "Seu" Vinicius???}

De volta ao filme: por ter tido intimidade razoável com Gonzaguinha, em mais de vinte anos de amizade, tendo acompanhado suas alegrias e tristezas, amores e desamores, fracassos e sucessos, acabei me emocionando com a composição do ator que o interpreta, quase perfeita (já tinha visto um espetáculo teatral com outro ator no papel, e estava perfeito também. Gonzaguinha talvez seja um tipo fácil de representar, ou ambos os atores são extraordinários, o que é mais provável).

O conflito central do filme, porém, são as desavenças e dificuldades de entendimento entre pai e filho, e disso só sei que nada sei. Meu amigo Gonçalves (como eu chamava Gonzaguinha desde que nos conhecemos) não tocava no assunto praticamente nunca. Falávamos de música, política, direitos autorais, filhos, amigos, amores, casamentos, coisas do dia a dia, mas ele nunca falava do pai, assim como eu também não falava do meu. Duas encrencas que não valiam a pena esmiuçar. Hoje vejo que simplesmente fugíamos dessa questão porque certamente nos incomodava. Os analistas é que sabem dessas coisas. Mas ver o filme deu um travozinho de saudade desse amigo – o melhor jogador de jogo de memória que conheci (com incrível memória fotográfica, acho que hoje seria um craque em coisas digitais), companheiro nas lutas pelo direito autoral da Sombrás e do CNDA, frequentador do apartamento de Luizinho Eça no Leblon (onde rodeávamos o piano ouvindo nosso amigo e mestre dar lições grátis de harmonia) e de algumas de minhas casas ao longo do tempo. No ano de 1986 rodamos o Brasil juntos, ele e eu, numa turnê patrocinada pela Sharp. No ano anterior, tínhamos estado em Moscou, numa grande trupe de artistas de muitos gêneros de música. Enfim, um longo convívio, que se interrompeu com a partida prematura dele. Quando é assim, a gente sempre fica pensando no que poderia ter sido e não foi, no que a pessoa estaria fazendo hoje, como estaria envelhecendo. Mas é aquela velha história: *"Want to stay young? die young..."*

Ou como disse a sábia Tonia Carrero: "Envelhecer é horrível, mas a outra opção é pior." ~

RODRIX

Conheci os meninos do Momentoquatro – Maurício Maestro, David Tygel, Ricardo Vilas e Zé Rodrigues – quase na adolescência, quando eles terminavam o ensino médio no Colégio de Aplicação, faziam vestibular para universidades que nenhum deles cursaria e começavam – começávamos todos – a tocar em shows amadores, de e para estudantes. Ao lado de Edu Lobo, Marilia Medalha e o Quarteto Novo, foram campeões no Festival da Record com "Ponteio". No início de minha carreira, foram meus companheiros de muitas aventuras: sempre nos apresentávamos juntos em festivais e shows, e eles cantaram comigo no meu primeiríssimo disco, numa "Ave Maria" em latim, de Caetano. Também se tornaram meus parceiros, e algumas composições nossas aparecem no único LP deles.

No mesmo 1968, lá fomos nós mais uma vez, com nossos amigos Sidney Miller e Gutemberg Guarabyra, fazer um espetáculo no Café Teatro Casa Grande, direção de Paulo Afonso Grisolli, chamado *Catiti, Catiti* (não me perguntem a razão desse título). Ali fazíamos nossas primeiras experimentações musicais, desafiávamos ingenuamente os militares e, principalmente, nos divertíamos muito. Na última noite do show, Grisolli liberou o elenco para que cada um fizesse o que quisesse. Sidney cantou o tempo todo invisível, escondido na cabine de luz, realizando sua enorme timidez. E Gut fez uma performance maluca com sua canção "Margarida" – vencedora do FIC e cujo sucesso ele já detestava – que culminava com a quebra do violão à la Sérgio Ricardo, instrumento que lhe fora emprestado, em confiança, por sua namorada da época, Silvia Sangirardi. Tantas lembranças.

O Momentoquatro não duraria muito, cada integrante já tinha seus planos. Mas o ponto final, involuntariamente, se deu com a prisão de Ricardo, envolvido numa organização política pró-luta armada e posteriormente trocado pelo embaixador americano, numa história que hoje todos conhecem de livro e filme. Foi para o México, depois para Paris, onde faria carreira de músico em dupla com sua então mulher, Teca. Maurício, que sempre gostara de trabalhar com grupos vocais, iria se especializar brilhantemente nisso – e dez anos depois fundaria o Boca Livre, que incluía também o velho companheiro David. E o Zé, esse era já o Zé Rodrigues Trindade, nosso sempre Rodrix, que cedo foi guindado ao andar de cima, como se diz.

Zé era uma figuraça, inteligente, engraçado e bom de palco. Tinha uma imaginação delirante, que hoje certamente ganharia algum diagnóstico (já que hoje em dia há diagnóstico pra tudo). Na época, era apenas óbvio que se tratava de um cara brilhante, mas que – como diria Tim Maia – *mentia um pouquinho*. Carioca, filho de baianos, suas origens passavam por diversos arranjos e orquestrações, conforme o interlocutor. Às vezes ele era mexicano e seu sobrenome era Rodriguez. Noutras, descendia de família rica, embora seu pai (o adorável "Seu" Trindade) fosse, na verdade, dono de uma modesta tinturaria. Também houve um tempo em que ele próprio era baiano, nascido em Rio de Contas, como o pai. Houve até um momento em que de fato morou com a namorada Hildegard em Porto Alegre, mas ao voltar para o Rio contou aos amigos que tinha ido secretamente para os Estados Unidos, a convite da atriz Joan Crawford, amiga de sua então sogra, Zuzu Angel. Esse era o Zé.

Nos seus tempos de Momentoquatro fomos parceiros em algumas canções, que nunca deram certo, nem eram para ter dado. Nossas afinidades eram muitas no quesito amizade, mas poucas no quesito música. O tropicalismo foi libertador para ele, que sempre gostara da ideia de se tornar um artista pop. Por isso o nome Rodrix (como Hendrix). Artista pop ele foi, especialmente com os amigos Guarabyra e Sá (Luiz Carlos), num trio de enorme sucesso nos anos 1970, do qual fui testemunha de todas as fases, desde o começo até a transformação do trio em duo.

Minhas duas primeiras filhas, Clara e Ana, e Marya (filha dele) nasceram na mesma época e cresceram juntas, praticamente como primas, a partir de minha longa amizade com Lizzie Bravo, sua primeira ex-mulher. Zé teve outros casamentos e outros filhos, fez carreira na publicidade em São Paulo e poucas vezes nos vimos nos últimos anos. A última vez foi na noite da gravação de um DVD do Ricardo, quando nos revimos e rimos muito ao lembrar as músicas hilárias que Zé e Maurício inventavam nos intervalos dos shows, como a canção meio russa, cantada em estilo barqueiros-do-Volga, "Puta que nos pariu: lugar sombrio e sem ninguém/ terra de horrores mil/ e de terrores mil e cem..." Ou o samba-enredo dedicado a Rogério Duprat: "Exaltamos o teu estro, Maestro Duprat (...) com seus bigodes corretos e hirsutos/ e mais uma moral inatacável/ à sombra de um talento sem igual..."

Foi um último encontro bastante divertido e feliz. Um ano depois, ele partiria.

A vida passa muito rápido. ~

SIVUCA

Gênio absoluto da sanfona, que alegria tê-lo conhecido e tocado com ele! Nosso último encontro se deu quando participei do Projeto Pixinguinha de 2005. Sivuca, já muito doentinho mas sempre carinhoso, foi nos ver quando passamos por João Pessoa (Glorinha, sua companheira, já tinha nos prevenido que ele voltara à Paraíba *para esperar a hora*). Tínhamos feito também um Projeto Pixinguinha juntos em 1980, que foi maravilhoso. O elenco éramos eu, ele e o compositor Manduka (Manoel Thiago de Mello, filho do poeta amazônico), pois rezava o regulamento que haveria sempre dois artistas principais e um mais iniciante.

{Para você que nasceu ontem: esse foi um projeto idealizado no século passado por Hermínio Bello de Carvalho, e levava elencos itinerantes de música brasileira por todo país, a preços populares. Tocávamos em teatros, e nunca vi um desses shows que não estivesse superlotado. Era uma produção da Funarte, órgão governamental, bem numa época em que os governos não gostavam de artistas, se é que algum dia gostaram... Não sei como Hermínio conseguiu levar isso adiante.}

As lembranças desse Projeto Pixinguinha são divertidas e felizes. Foi a primeira vez na história do Projeto em que um show foi cancelado não por falta, mas por excesso de público. Bem verdade que eu estava em momento especial de carreira aqui no Brasil, embalada pelo sucesso de "Clareana" no Festival da Globo. Mas o negócio não era bem eu... Sivuca era o Sivuca, e estávamos viajando pelo Nordeste, território dele, onde era (e se a vida for justa, sempre será) amado e reverenciado como mestre. Fazíamos shows extras todas as noites nas cidades onde passávamos, e Teresina não seria exceção.

O que fez a diferença foram as condições do teatro, superlotado na primeira noite e já com ingressos esgotados para a segunda. Recebemos dos bombeiros a notícia de que não era possível garantir a segurança, nossa e do público, no antigo e malconservado teatro da cidade. Na verdade, já fora um milagre não ter havido nenhum incidente na nossa primeira apresentação. Resolvemos então cancelar. Sivuca ligou para a Funarte no Rio e foi dado o OK. Anos depois, ainda dávamos gargalhadas ao lembrar dessa história.

Depois disso nos revimos muitas vezes, e eu, que estava gravando meu novo disco para 1981, *Água e luz*, compus uma música especialmente pra ser gravada com ele, "Samba de gago", que muitos anos depois viraria hit no meio dos DJs de Londres – a sanfona endiabrada de meu amigo dobrando minha voz, num samba-jazz sem espaço para respiração (até hoje não sei como fiz aquilo). Nos reencontramos em shows, em showmícios, em gravações, ou simplesmente em visitas. A última vez foi em 2001, num festival de jazz em Punta del Este, onde ele tocou com seu grupo e deu uma canja no meu show – e arrasou!

Uns dois anos antes de sua partida, eu quis levá-lo ao Japão como meu convidado especial no Blue Note. Cheguei tarde. Glorinha me avisou que ele não viajava mais para fora do Brasil, muito menos numa viagem puxada como aquela. Pena: teria sido simplesmente o máximo.

Olho minhas velhas fotos ao lado de amigos queridos como Tom, Vinicius, Moacir Santos e agora Sivuca, e não sei se me entristeço por não poder revê-los nesta vida, ou se me alegro e sinto orgulho por ter convivido com eles. Acho que fico com a última opção. ~

JOHNNY É UM GÊNIO

Aos catorze anos, quando eu estava exatamente começando a tocar violão, acertei o escore do jogo da final da Copa de 1962, e ganhei um *bolo esportivo* do meu colégio – não sei se ainda se chama assim, mas era comum: você acertava o resultado de um jogo, com o número exato de gols, e ficava com o dinheiro das apostas. O que fiz com esta fortuna ganha foi comprar um LP de Johnny Alf, *Rapaz de bem*, que eu já vinha namorando na loja de discos há tempos. Eu não recebia mesada, e só poderia fazer uma extravagância dessas se ganhasse na loteria. Foi quase isso, e tenho esse LP até hoje na minha coleção de vinis. É uma preciosidade. Naquela época jamais me passaria pela cabeça que eu e Johnny um dia tocaríamos juntos e seríamos até parceiros, o que foi acontecer uns quarenta anos depois, para minha grande alegria.

Cresci ouvindo Johnny, Donato, Tom, João, essa foi a minha música de formação. Tive sorte. Outro dia mesmo estive respondendo a uma entrevista para a revista *Guitar Player*, e o repórter me perguntou o que mudou na minha música a partir do momento em que eu "entendi" a bossa nova. Tive de explicar a ele que não houve antes nem depois, não houve um momento em que passei a *entender* aquilo – praticamente nasci sabendo, já comecei a fazer música com aqueles acordes que eu ouvia na infância, desde sempre. Pra quem cresceu ouvindo isso, parece simples, e acaba sendo mesmo. Essa foi a grande sorte da minha geração: não crescemos ouvindo as bobagens do *mainstream*, ou melhor: o nosso *mainstream* é que era de luxo. Já nascemos mamando nas tetas da grande música brasileira – como nossos predecessores também cresceram ouvindo as maravilhas da Era do Rádio na época deles.

Johnny Alf foi, portanto, um destes meus primeiros encantamentos. Sua vida já não tinha sido fácil: chegou à cena musical da Copacabana dos anos 1950 sendo pobre, negro, gay – e, pior que tudo isso, musicalmente moderno demais para o seu tempo. Sua música não era feita de atitudes: a atitude era a música em si mesma, complexa, avançada, criativa, cheia de acordes usados de maneira inesperada, principalmente pelo ineditismo da época em que a maior parte das canções havia sido composta. Ouvi o samba "Rapaz de bem" muito antes de ter comprado aquele LP aos catorze anos: meu irmão era amigo da rapaziada que fazia a incipiente bossa nova, e quando saía à noite com os amigos trazia de volta mil novidades – maravilhas malucas, como "Mamadeira atonal", de Oscar Castro Neves; delícias inéditas de João Donato, como "Minha saudade" e "Silk, Stop"; e, claro, as últimas de Johnny Alf, que ele ouvia ao vivo na boate Plaza.

Esse músico tão genial (*genialf*, como dizia Tom Jobim) era um mistério até para os amigos. No momento em que a bossa nova, que ele ajudara a inventar, estava explodindo no mundo, Johnny fez o caminho inverso e se internou na noite paulistana, de onde nunca mais sairia.

Quando o convidei para participar comigo de uma série de shows nos Blue Notes japoneses, em 2002, fiquei surpresa em saber que era apenas a segunda vez na vida que ele iria lá. Um músico de sua estatura teria merecido várias turnês mundiais e todas as homenagens do mundo através dos tantos anos de carreira. Mas este era um homem modesto (ou talvez orgulhoso) por demais...

Fizemos alguns shows preparatórios, em São Paulo mesmo, e seguimos para a turnê, com mil recomendações de seu produtor Nelson Valencia, preocupado com a inabilidade de Johnny em cuidar de si mesmo. Mas cuidamos dele direitinho, e deu tudo certo. No primeiro dia em Tóquio saímos para a rua, eu e os músicos – e ao chegar, quando ligamos para saber se estava tudo bem com o Johnny, descobrimos que ele estava sozinho, com o quarto às escuras, pois não se dera conta de que era preciso usar a chave para ligar a luz, nem tivera a iniciativa de ligar para a recepção pedindo ajuda... A partir daí, recomendei ao nosso *tour manager* que esquecesse de nós e colasse no Johnny, de olho no que ele pudesse precisar. E assim foi feito.

Nossa temporada com Johnny como *special guest* no Japão foi linda, imune a chuvas, trovoadas e tufões – tivemos um na ilha de Miyazaki, que por pouco não cancela nosso show ao ar livre, que acabou sendo apenas adiado. O avião que nos levava para a ilha por um triz não pousou no mar. Alguns passageiros começaram a entrar em pânico, mas

Johnny manteve a calma o tempo todo, impávido que nem Mohammed Ali. Ele não se entregava por tão pouco. Foi preciso que esperássemos uns dois dias no hotel, enquanto lá fora o mundo se acabava e víamos folhas das árvores grudarem nas vidraças dos apartamentos (o meu era no 38º andar – imaginem a força da ventania...) Depois tudo se acalmou, e pudemos seguir conforme programado.

Johnny era fechado, tímido, apreciava sua solidão, e todas as noites levava para o hotel, numa *quentinha*, o jantar que a casa fornecia entre os dois sets. Jamais saía do quarto: ficava na dele, só o víamos no café da manhã e na hora do show. Ainda assim a proximidade era grande; o contato, diário. E uma primeira e única parceria entre nós aconteceu ali, no camarim do Blue Note Tokyo, quando ele me pediu para letrar sua música "Plexus", até então apenas instrumental. Fiz a letra, ele aprovou, e depois até a gravamos juntos num disco meu.

Nessa temporada descobrimos que ele já não andava nada bem de saúde – mas fico feliz por ter estado ao seu lado naquele momento em que ele pôde ver ao vivo o quanto sua música era amada e admirada ao redor do planeta.

E ainda nos tornamos parceiros! Sou mesmo uma garota de sorte. ~

TENÓRIO JR.

Deixem que eu conte a vocês sobre um amigo querido, Tenório Jr., maravilhoso pianista, um dos maiores do samba-jazz. Na verdade, um dos pioneiros, ou criadores, desse estilo. Além de grande instrumentista, era também compositor de grandes temas, como "Embalo" – que eu e Tutty gravamos em nosso CD juntos, *Samba-jazz & outras bossas* – e muitos outros, além de vários temas que ficaram inéditos depois de sua morte, aos 35 anos. *Embalo*, o disco, foi justamente o único LP que ele lançou na vida, hoje um clássico, várias vezes reeditado pelo mundo.

{E, por favor, o chamem sempre de Tenório – nunca, jamais, Tenorinho, como insistem em dizer alguns jornalistas quando se referem a ele; o uso do diminutivo era hábito de Vinicius de Moraes, com quem ele estava trabalhando na ocasião (Vina sempre me chamava, por exemplo de Joycinha). Vinicius foi, compreensivelmente, a pessoa mais entrevistada na época do desaparecimento de seu brilhante pianista. Se eu também tivesse morrido naquele ano, trabalhando com ele, o povo iria me chamar de Joycinha para sempre, então?}

Enfim, Francisco Tenório Cerqueira Júnior, nosso Tenório, sem diminutivos, tinha uma inteligência impressionante, aquele humor ácido dos muito observadores, musicalidade à flor da pele. Tinha também esposa e 4 filhos (e mais um a caminho), uma nova namorada (com quem pretendia viver dali em diante) e algumas compulsões, das quais, a longo prazo, precisaria se libertar. Ou seja, tinha, sim, algumas encrencas pendentes na vida. Mas para nenhuma dessas houve tempo.

Como todo o mundo sabe – e se não sabe, precisa saber – Tenório desapareceu em Buenos Aires, na madrugada de 18 de março de 1976, depois de ter se apresentado num show com Vinicius de Moraes e Toquinho. Eram as vésperas do golpe militar que deporia a presidente Isabelita Perón e jogaria o país numa longa noite ditatorial. Nosso amigo saiu do hotel para comprar cigarros, ou um sanduíche, ou um remédio – as versões são conflitantes – e nunca mais voltou. Tempos depois, o depoimento de um ex-oficial argentino que participara da repressão dava conta de que Tenório teria sido confundido com alguém que estava sendo caçado, numa espécie de operação pente-fino, pré-golpe. E morreu na tortura, cerca de 10 dias depois. Ele, que de política não sabia nada, nem queria saber. O ser mais apolítico que já conheci na vida, totalmente inofensivo, que só pensava e vivia para a música, foi preso, torturado e morto como se fosse um perigoso subversivo. Ainda que fosse, nada justificaria o que passou.

Estive com Tenório poucos dias antes do acontecido, pois estava na mesma turnê, da qual saí em Montevidéu, enquanto eles seguiam para Buenos Aires. Acompanhei o desespero de Vinicius, da família (o quinto filho ainda na barriga da mãe) e de toda a classe musical carioca naquele momento. Fizemos shows para levantar algum dinheiro para a sua esposa e filhos. Médiuns do mundo todo fizeram previsões que nunca se mostraram acertadas. Ninguém sabia o que fazer, a embaixada brasileira não podia ajudar, foi o caos, totalmente. Até que aquele oficial argentino, numa entrevista, contou o que realmente aconteceu.

É uma página infeliz da nossa história que merece mesmo um documentário, como esse que o diretor espanhol Fernando Trueba está há anos preparando, e que agora, dizem, pode ser feito em formato de animação. Ou merece, principalmente, um esclarecimento histórico, pois embora o sequestro, prisão e morte de Tenório tenham se dado na Argentina, o depoimento do oficial indica que teria havido alguma conivência do Brasil no sentido de "desaparecer" com aquele inocente. Que ao sair da cadeia, onde fora parar por engano, poderia dar com a língua nos dentes e assim comprovar o que extraoficialmente já se supunha: uma cooperação sinistra entre os governos ditatoriais do Cone Sul.

Os dias eram assim. ~

MEU PANAMÁ

Em meados dos anos 1970 saí em turnê com Vinicius e Toquinho. Viajamos para a Europa – Itália e França. E em todos os shows, como era seu costume, Vina gostava de contar algumas historinhas no idioma local. O baterista da banda, Mutinho, gaúcho e sobrinho do grande Lupicínio Rodrigues, era o feliz proprietário de um chapéu panamá pelo qual Vinicius tinha se interessado – ele que na época usava boina direto (e é bom lembrar que naquele tempo o uso do panamá ainda não havia sido adotado pelo Tom). Enfim, de tanto ouvir os elogios do poeta, Mutinho acabou lhe dando o chapéu de presente. E ainda fez um samba, intitulado "Meu panamá", que começava assim: "Eu dei pra ele/ meu panamá/ saudade dele/ me faz chorar..." Vinicius, que tinha lá suas vaidades, adorou mais ainda a história, e daí por diante, em todos os shows, fazia com que o baterista cantasse o samba que tinha composto em sua homenagem. Era um sucesso.

Quando retornamos ao Brasil fomos fazer um show em Santos, para uma plateia de universitários. E Vinicius quis contar de novo a história do chapéu, pedindo a Mutinho que cantasse o samba. Só que assim que saiu a primeira frase – "Eu dei pra ele..." – dá pra imaginar o que aconteceu: quase o nosso show acabava ali mesmo sob vaias, gritos e gargalhadas do público. O compositor e o poeta não tinham se dado conta da interpretação maliciosa que semelhante gesto de carinho poderia acarretar por aqui.

A expressão "dar o panamá" por pouco não virou piada recorrente entre os músicos. Ainda bem que o pessoal esqueceu logo essa história. ~

O REI E EU

Pois foi assim: em 1982, fui convidada para participar do especial de fim de ano de Roberto Carlos. Por que, eu só descobriria quando chegasse lá. O convite me veio através da EMI, minha gravadora da época, da qual eu já me despedia depois de um *imbroglio* semijudicial. Estranhei, portanto, que o pessoal ainda estivesse interessado em me colocar num programa de tal magnitude... Fui entender melhor depois, bem depois.

Primeiro fui chamada a um estúdio de gravação, onde Eduardo Lages, diretor musical do programa e do seu astro, me apresentou aquela canção do Roberto que me caberia: "olha, você tem todas as coisas/ que um dia eu sonhei pra mim/ a cabeça cheia de problemas/ não importa, eu gosto mesmo assim..." Descobri então que eu faria parte de um quadro que o pessoal da Globo estava chamando nas internas de *pot-pourri do tesão*: quatro cantoras, consideradas bonitas à época, rodeando o Rei e cantando músicas dele. Uns vinte anos depois, eu seria convidada para empreitada semelhante num especial de Fábio Jr. em que seríamos, não quatro, mas dezenas de beldades musicais de todos os estilos e gerações. Ah, esses eternos galãs.

Uma aparição nesse programa tinha lá seu valor, e topei participar em nome da divulgação dos meus trabalhos presentes e, principalmente, dos futuros. Cheguei a imaginar que o convite tivesse partido do próprio RC, com quem eu me encontrara, pouco tempo antes, durante as gravações do mais recente disco dele. Nessa época estavam na moda os coros infantis, e minhas filhas Clara e Ana, afinadíssimas e supermusicais, eram sempre chamadas para tudo o que se gravava com essa característica, de Egberto Gismonti ao Balão Mágico. Eu sempre as levava e ficava lá com elas, e muitas vezes minha caçula, de 3 anos, ia junto. Nesse dia ela foi, e foram engraçadas as tentativas do artista principal em se aproximar dela no estúdio – ela, uma moreninha linda, de cabelos cacheados como os de Luluzinha e supermarrenta, já então. Não houve jeito, todas as tentativas do Rei Roberto em fazer amizade com minha menorzinha foram, de imediato, repelidas. Ela não quis conversa.

Chegou o dia da gravação do programa, nos estúdios da Globo, em SP. Minhas colegas de pot-pourri, cada uma representando uma gravadora (pois era assim que as coisas se faziam nos anos 1980) estavam todas chiquérrimas em seus trajes *soirée*. A RCA enviou Joanna, que seria encarregada do *grand finale* ao lado do Rei, ela que já começava a ser chamada pela imprensa de "Roberto de saias". Jane Duboc vinha, acho, representando a Continental. Pela Polygram, a princípio, viria Lucinha Lins, que teve um problema de saúde e precisou ser hospitalizada às pressas. Em seu lugar, a gravadora enviou Zizi Possi, super *fashion* num vestido branco de lamê, do estilista Markito, bem curtinho ("meu ponto forte são as pernas", ela explicou ao diretor).

De cara, me dei conta de que não tinha o que vestir para a ocasião. Eu era uma riponga absoluta, não tinha sequer um produtor me acompanhando e muito menos quem me aconselhasse em semelhante questão. Ganhara, sabe Deus por quê, o prêmio de *cantora mais bonita do Brasil*, dado pelos leitores da revista *Amiga*, no programa do Chacrinha, e a foto em que recebo esse prêmio está aqui nos meus arquivos – eu com uma roupinha de malha, bem vagabunda, e uma sapatilha já meio gasta da feira hippie de Ipanema. Era o que eu tinha para usar. Mas fui providencialmente ajudada: minha velha amiga de outros carnavais, Heleninha Gastal, era simplesmente a figurinista do programa. "Não se preocupe com isso", ela me disse. Já me conhecendo e imaginando o possível problema, ela trouxera umas peças de seu acervo pessoal para me emprestar, se necessário. Experimentei algumas coisas, e escolhemos, de comum acordo, um deslumbrante vestido vermelho de seda, que Heleninha usara no último réveillon e que caiu em mim como uma luva. Fiquei tão chique, depois de pronta e maquiada, que alguns amigos meus sequer me reconheceram quando o programa finalmente foi ao ar.

Eu estava encarregada de abrir o quadro. Roberto, sentado num piano branco de cauda, não cantava nessa hora. Eu ficava encostada ao piano e dublava a canção previamente gravada (da qual, depois me dei conta, errei bastante a letra, não sendo os autores muito presentes no meu habitual repertório. Ninguém me corrigiu, e ficou por isso mesmo). Repetimos essa cena diversas vezes, como costuma acontecer em programas de TV. Depois vinha uma modulação e Jane entrava, cantando "Outra vez"; depois Zizi; e, finalmente, Joanna. E ele fazia uma cara de surpresa para cada uma que aparecia. De vez em quando a então mulher dele, a atriz Miriam Rios, chegava no set para dar uma conferida. Tudo parecia correr bem.

Minha parte foi dada por encerrada. Mas quando me afastei do piano cenográfico, o horror: a tinta estava fresca, e o lindo vestido vermelho de seda que minha amiga tão generosamente me emprestara tinha enormes manchas brancas em toda a parte da frente. Fiquei desesperada, estávamos numa fase duríssima de grana e eu não teria como compensar Heleninha pelo prejuízo. Mas ela foi maravilhosa e compreensiva, disse que a responsabilidade era da produção, não minha, e que se entenderia com eles. Um alívio.

Na noite de Natal, quando sentamos diante da TV para assistir ao especial, minha pequena perguntou: "Mãe, esse não é aquele homem que estava na gravação das minhas irmãs? O que ele está fazendo no seu programa?" ~

HENRI SALVADOR

Até hoje guardo com carinho uma linda foto feita em 1988, em Paris, no chiquérrimo restaurante Fouquet's (nome impronunciável para nossos amigos norte-americanos...), localizado no Champs Elysées. Ao meu lado, esbanjando charme e elegância, na flor de seus sessenta e poucos anos, está um dos meus ídolos de infância, Henri Salvador.

Fomos convidados para almoçar com ele depois que um amigo comum lhe contara que eu estava cantando duas músicas suas nos meus shows no New Morning, tradicional clube de jazz parisiense. Henri não estava exatamente em seu melhor momento de carreira – na verdade, vivia a chamada entressafra, aquela fase entre um período de sucesso e outro, quando nada acontece, que ocorre com todos nós de quando em quando – mas ele ainda era, como sempre foi, uma instituição cultural francesa. Já eu estava debutando na França, fazendo uma temporada lá pela primeira vez e achei que seria divertido incluir alguma coisa sua no repertório, ele que fora um dos artistas prediletos de minha mãe e cujas canções eu conhecia de cor e salteado, ainda em 78 rotações.

Fiz, portanto, um pequeno *medley* juntando seu grande sucesso, *"Dans mon île"* (que seria gravada também por Caetano, entre outros) e a menos conhecida *"Chanson douce"*. Isso rendeu alguns comentários, Henri ficou sabendo e acabou gentilmente convidando a mim e ao Tutty para almoçarmos com ele nesse sofisticado local, na época bem acima de nossas posses.

{Um artista em entressafra na França ainda podia fazer um convite desses. Já por aqui...}

O almoço foi, em todos os sentidos, delicioso. Salmão, vinho branco e a verve do nosso anfitrião, velho conhecido do Brasil desde os tempos em que cá esteve como *crooner* da orquestra de Ray Ventura, no Cassino da Urca – corria a Segunda Guerra Mundial, e com a França ocupada pelos nazistas, a orquestra (com músicos judeus, negros e outros indesejáveis, como Henri) achou melhor dar um tempo por aqui, até que a guerra acabasse. Ele nos perguntou muito por seu amigo querido Grande Otelo e de vez em quando, meio para se mostrar, falava alguma coisa em português, geralmente gírias dos anos 1940/50. Foi assim que, quando ofereci a ele um disco autografado, com uma caprichada foto minha na capa, feita por Frederico Mendes, ele olhou e comentou, com seu pesado sotaque francês: "Muito boa!" Rimos bastante – e o Tutty, igualmente com sotaque, só que dessa vez baiano, mandou, em francês: "*C'est ma femme...*" Ao que Henri, malicioso, piscando o olho, respondeu: "*Malandrrro...*"

Soube com saudade da sua partida. Sei que ele nunca se distanciou muito do Brasil, e que chegou a participar em discos de Rosa Passos e Lisa Ono. Ambas cantoras 100% bossanovistas, pois Henri tinha em sua música um parentesco estético com a bossa. Não foi, como gostava de pensar, um precursor: ele está para a bossa nova, assim como Chet Baker, pela leveza de sua música. Talvez no caldeirão de influências estrangeiras da bossa ele possa ser incluído, junto com Chet, com o *cool jazz*, com os boleros de Manzanero, com Gershwin, Ravel e Debussy (principalmente os dois últimos). Mas foi compositor e cantor genial, de estilo único e totalmente diferente da canção *variété* francesa tradicional – Henri era de Caiena, na Guiana Francesa. Ouçam *"Dans Mon Île"*, *"Chanson Douce"*, *"Maladie d'amour"*, *"Syracuse"*, *"J'ai vu"*, *"Cendrillon"*, *"Le marchand de sable"*... é uma obra deslumbrante de um autor maravilhoso. À *bientôt, Henri!* ~

POIS É...
(FICA O DITO E REDITO POR NÃO DITO)

Quem conta um conto aumenta um ponto, é o que se diz. Mas quando o seu conto envolve os contos de outra pessoa, ou quando essa outra pessoa saiu mal na foto por conta do conto malcontado que não era dela, qual seria o procedimento? Recontar, eu acho.

Pois foi assim que uma singela visita que fiz lá pelo distante ano de 1971 virou um conto mal-explicado e repetido não uma, mas duas vezes, e em grandes proporções. Memória é fogo. A minha é bem boa, modéstia à parte: meu HD mental funciona direitinho, movido a água e exercícios constantes, sem precisar de ajuda externa. Seminovo, praticamente. Única dona. Peças originais de fábrica.

Por que estou dizendo tudo isso? Porque, bom, na primeira versão deste livrinho de memórias deixei de mencionar algumas histórias que presenciei, por discrição e por achar que não era da minha conta. Ledo engano: ficou sendo da minha conta a partir do momento em que uma das pessoas envolvidas numa história dessas resolveu contar seu conto e lembrou que eu também estava lá.

Então vocês podem ler na autobiografia musical do meu amigo Nelson Motta, *Noites tropicais*, a história do começo do namoro dele com Elis Regina. Quanta formalidade pra falar de duas pessoas queridas, Elis e Nelsinho. E de fato, conforme ele contou e conforme a novíssima edição da primeira biografia de Elis, feita por Regina Echeverria, repetiu *ipsis litteris*, eu estava lá. E, no entanto...

≡

Eu estava casada com um dos músicos da então banda de Elis, mas já nos conhecíamos com intimidade razoável desde muito antes, de casas e casos anteriores. Nesse tempo ela era carioca e para os íntimos se chamava Lilica. Mais tarde se tornaria paulista e passaria a ser a Baixinha. Pois é, conheci duas diferentes encarnações de Elis: Lilica e Baixinha. Lilica era carioca, torcia pelo Fluminense, frequentava a juventude dourada de Ipanema, como seu marido Ronaldo Bôscoli. A Baixinha era paulista, espírita e politizada, como seu marido César Mariano. Nessas duas vidas a história era a mesma: uma amizade sujeita a chuvas e trovoadas. Mais de uma vez tive de sair à francesa de encontros com ela, pois era pessoa imprevisível, de extremos, que ia do adorável ao infernal em segundos. Com o passar do tempo, fui entender que quem vive nessa condição enfrenta sofrimento muito maior que o simples constrangimento dos mais próximos. Mas eu ainda não sabia disso.

    Éramos bem amigas na época, dentro das possibilidades de amizade que se podia ter com ela: amizade sujeita a chuvas e trovoadas, como eu disse – mas também a belíssimos dias de sol. Ainda mais na casa deslumbrante onde morava com Ronaldo Bôscoli, os dois ainda casados e aparentemente em eterno e passional conflito. Uma casa na avenida Niemeyer, de frente para o mar, onde recebiam amigos em noites divertidas – longas noites em que a gente ficava e cantava e ria até amanhecer. Outras festas, estas diurnas, de piscina – a mesma piscina onde ela fez a foto de chapéu que está na capa de um de seus discos. Um cachorro boxer chamado Cassius Clay. Uma cozinheira maravilhosa, que fazia um pudim de camarão dos deuses e tinha adoração pela patroa – e não era para menos, pois Elis a ajudara a comprar casa própria. Um filho pequeno que era uma graça. Tudo, aparentemente, no melhor dos mundos. Como se fosse simples assim.

O pau quebrava, literalmente, o tempo todo. Ronaldo e Elis eram fogo contra fogo, um legítimo duelo de titãs, cada um mais irônico, inteligente e mordaz que o outro, o que muitas vezes deixava um constrangimento geral no salão. Na despedida de solteiro dos amigos Nelsinho e Mônica, por exemplo: faltou luz no meio do jantar, e os comentários de Ronaldo sobre a falta de habilidade social de Elis e sua demora em arranjar candelabros foi cruel. Mas ela respondia rápido, no estilo bateu-levou, e dali a um minuto era ele quem estava apanhando (verbalmente, lógico). Mais um minuto e os dois estavam de novo numa boa. E ai de quem tomasse partido.

O casamento dos dois era fadado a não dar certo desde o início, mas alguma misteriosa química segurava os laços quando tudo parecia perdido. Nunca me esqueci de uma conversa à beira da piscina entre Elis e Anita, mulher de Miele. Os maridos, que trabalhavam juntos, tinham viajado, e Anita, saudosa, reclamava: "Quando Miele viaja, meu casamento fica péssimo!" Elis deu uma gargalhada e mandou, na hora: "O meu é exatamente o contrário: quando o Ronaldo viaja é que fica bom..."

Pois quando finalmente a noite que Nelsinho relata em seu livro aconteceu, a verdade é que já havia ali alguma coisa prestes a desmoronar. Ronaldo mais uma vez viajando, Nelsinho produzindo o novo disco de Elis, fomos convidados para passar na casa dela e mostrar algumas músicas. Eu não estava compondo muito na época, mas já tivera o privilégio de ser gravada por Elis em seu LP anterior, eu ainda uma compositora iniciante de 21 anos, e ela já a maior estrela do Brasil. Mas os músicos da banda eram todos excelentes compositores, doidos pra mostrar suas novas produções, e foi assim que armou-se um pequeno grupo para fazer essa audição.

Alguém que não sei quem foi teve a ideia de levar um ácido para aproveitar melhor a beleza da vista (eram os anos 1970 começando). Segundo conta Nelsinho, foi uma mescalina oferecida por Tim Maia. Disso não tenho certeza, já que o assunto em nada me interessava: eu estava absolutamente grávida, de primeiríssima viagem, e a última coisa que me passaria pela cabeça seria fazer uso de qualquer substância esquisita. Sei que havia mais de quatro pessoas presentes e aparentemente quase todas interessadas em participar da diversão.

Quando as músicas que tinham de ser mostradas se esgotaram e deu-se início aos folguedos lisérgicos, comecei a me sentir entediada. Elis gentilmente me ofereceu o quarto dela para que eu descansasse. Caí na cama, um sono pesado de grávida, e só acordei quando o sol já ia bem alto. Subi para o terraço e vi Nelsinho e Elis numa espreguiçadeira, cobertos por uma mesma manta, os dois risonhos, como duas crianças prestes a cometer uma travessura. Senti na hora o tamanho da encrenca e fui embora rapidinho, junto com o resto dos presentes.

Sair à francesa sempre foi parte de meu relacionamento com Elis, pois era inevitável o momento em que se podia pressentir alguma confusão, como um relâmpago anunciando a chuva. Eu já sabia e saía de fininho. Tempos depois ouvi de amigas comuns o desenvolvimento da história, mas aí... já estaríamos entrando no perigoso terreno do boato. E o principal interessado, o próprio Nelsinho, já contou os detalhes no livro dele – e dessa parte ele se lembra bem, tenho certeza.

Melhor que eu saia de fininho deste assunto também. ～

SÍLVIA

Se dá errado o que faço, à depressão sou avessa: nunca deixei que um fracasso me subisse à cabeça.
Quando eu dou, não tomo: multiplico, somo, amo, mas não domo. Sou fada e gnomo. Quando eu dou, eu como.
(Sílvia Sangirardi)

Vinicius de Moraes adorava contar histórias de seu amigo Jayme Ovalle – segundo ele, "um gênio sem obra". Nem tanto: a obra é que talvez tenha sido menor que a enorme influência que ele exerceu sobre o Vina e outros amigos. Existem pessoas assim, brilhantes na intimidade, mas sem deixar registro desse brilho para a chamada posteridade. Conheci muitas, e Sílvia Sangirardi foi uma delas.

Sílvia e eu éramos íntimas desde o final da adolescência, uma amizade dessas de trocar confidências, emprestar roupas, falar dos namorados, amigos e amores, dos planos para a vida, da música, do trabalho, das escolhas, de maternidade e outros assuntos, tantos. Mas minha linda amiga partiu cedo demais, ainda na casa dos cinquenta. Fumante convicta até o final, esse hábito lhe custou um agressivo câncer de pulmão que nenhum tratamento conseguiu evitar.

Mas se em 1968 você visse uma de nós, veria a outra com certeza, pois andávamos sempre juntas: na praia, quando nadávamos pra bem longe, fora da arrebentação, onde não chegava ninguém, para poder tirar a parte superior do biquíni e continuar nadando mais à vontade; nos shows e peças de amigos nos teatros do Rio; nas reuniões político-lítero-musicais no apartamento de Ruy Guerra no Posto Seis, colado ao dela, que naquela época ainda morava com a mãe (a famosa *chef* Helena Sangirardi, pioneira dos programas de culinária na TV, cuja feijoada mereceu até um poema-receita de Vinicius).

Finalmente, e com muito atraso, nos tornamos parceiras, com a tardia descoberta dela própria de sua voz poética. E fizemos algumas canções bacanas, como "Galã tantã'" (trabalhada por nós clandestinamente no Hospital Samaritano, com Sílvia já internada, mas palpitando na edição da letra, que originalmente era imensa), "Lamarca na gafieira" (que gravei com Paulo Moura, para quem tinha sido feita), "Neguinho do pastoreio'"(esta ganhou uma deslumbrante gravação de Monica Salmaso), "Samba da Sílvia" (que gravei em duo com a gênia Elza Soares e na qual juntei citações de algumas das melhores frases da minha amiga), e outras que ficaram inéditas pelo caminho. Nenhuma dessas gravações ela chegou a ouvir.

Ficam na memória minhas mil Sílvias: muito jovem, camiseta e jeans, cabelos curtíssimos *à la garçonne*, metida até o pescoço em política estudantil, fugindo da polícia. Volta e meia, apaixonada pelos caras errados, casos amorosos que nunca davam certo. Maquiando Gal no show *Fa-tal*. Descobrindo seus talentos de figurinista, premiada no cinema e no teatro, e de atriz bissexta. Grávida do filho Diego, linda e muito hippie, com a enorme cabeleira vermelha (sua marca registrada) incendiando Ipanema. Morando uns meses lá em casa, quando seu primeiro casamento terminou e ela não queria voltar a morar com a família. Muitos anos depois, já casada com o ator Antônio Pedro, levando para mim os originais de seu primeiro (e único) livro de poemas para que eu avaliasse – não precisava, os poemas eram ótimos e foram uma bela surpresa. Eu e Tutty entrando numa sex shop sado-masô em Nova York para comprar uma peruca vermelha que fizesse justiça à cabeleira da nossa amiga, destruída pela químio (ela adorou!). Sílvia reclusa, dizendo que já conhecia gente demais, não queria conhecer mais ninguém – hoje, com as redes sociais, o que ela diria?

Como eu gostaria de conversar com ela agora, com tanta coisa acontecendo pelo planeta, e ouvir o que ela, com sua "inteligência insuportável" (segundo outra amiga nossa), teria a dizer...

Saudades, parceirinha. ～

BETINHO

Betinho foi mais um desses irmãos que a vida dá pra gente. Embora fosse, na verdade, irmão do meu vizinho Chico Mário. E também, principalmente, fosse – ele, Herbert de Souza – o famoso *irmão do Henfil*, da canção de João e Aldir, nosso Betinho. Ou seja, irmão é o que não faltava na vida dele.

Longa é a arte, tão breve a vida. A gente sabia que não ia durar muito mesmo, mas sempre dá um travozinho de tristeza lembrar daquele cara legal, corajoso e frágil, 38 quilos de pura sedução. Sedução é a palavra exata: Betinho conseguia convencer qualquer pessoa de qualquer coisa e assim ia arrastando adeptos em sua cruzada quixotesca de agente do bem. E ensinando às nossas almas céticas a diferença crucial entre caridade, palavra desgastada e paternalista, e solidariedade, que é completamente diferente, pois pressupõe uma relação entre iguais.

Ele não desejava nada para si mesmo, não queria dinheiro ou poder, apenas sonhava o bem comum. Amava a música e dizia aos amigos músicos *vocês são deuses*. Arrastou vários de nós para seus saraus e dizia que éramos sua tropa de choque. Ninguém conseguia dizer não para aquela pessoa irresistível. "Vamos fazer um evento Terra e Democracia pra 20 mil pessoas no Aterro... Vamos ao programa da Hebe falar sobre a fome no Brasil, vamos, vamos..." E íamos, todos e todas, pois ele dava ordens com tanta doçura que só nos restava obedecer. Não tinha som para o evento, faltava dinheiro (sempre) e o Betinho, admirado: "E som se paga?" Impossível explicar ao nosso amigo que uma coisa tão abstrata como o som custasse dinheiro. E apesar, ou por causa, de tanta inocência, alguém doava o som, uma empresa emprestava o equipamento, e o show acontecia.

O Brasil deve muito ao Betinho. As políticas de combate à fome e à miséria que tivemos em tempos mais recentes foram todas, todas mesmo, formuladas por ele e seus companheiros do Ibase. Mas, como sempre, esquecemos. Imagino o que ele não diria hoje diante de tudo o que anda rolando por aí...

Saudades desse cara maravilhoso, que não foi santo nem herói. Apenas uma prova viva de que a humanidade tem jeito. ~

BRANT

13/6/2015 – uma carta

Fernando Rocha Brant, parceiro e amigo de tantos anos, hoje vou cantar aqui na Flórida. Vou fazer um show lindo, porque é o que eu sei fazer. Mas o coração estará apertado de tristeza, porque agora vai demorar pra gente se rever.
{Você, que nunca deixou de ir me ver sempre que eu tocava na sua cidade. Belo Horizonte sem você lá: isso vai ser muito estranho.}
Vou prosseguir com a minha turnê, conforme o previsto e quando chegar de volta ao Brasil vou gravar minha participação no seu disco, como estava combinado. Seu sobrinho Robertinho Brant, que está produzindo e arranjando o CD, já tirou o meu tom da "Saudade dos aviões da Panair", que você escolheu para que eu cantasse. Mas você não estará no estúdio pra gente dar risada e cantar juntos o Parquintal ou a Suite do Quelemeu… Você cantava bem pra caramba, parceiro, tinha uma musicalidade enorme, nunca entendi por que tão raramente gravou cantando. Bom, sendo parceiro do Bituca, eu até entendo. Mas a memória musical que você sempre teve… lembrava de tudo, de coisas do arco da velha, incrível.
Agora vou chorar mais um pouquinho e me aprontar pro show de hoje à noite. Vá com Deus, parceiro. Quem ama mesmo prefere o ofício de amar.

NOVOS VELHOS FLASHES

Pensando em Belchior, que conheci tão pouco, mas de quem por um triz não fui sócia num ousado empreendimento... Há uns 35 anos nos reunimos – eu, ele, a dupla Luhli & Lucina e Ricardo Vilas – com a intenção de juntos criarmos um selo independente, já que éramos todos, de um jeito ou de outro, órfãos das gravadoras *majors*. Chegamos a conversar com um ex-executivo de uma dessas, recém-demitido, em busca de aconselhamento no assunto. O que ouvimos nos fez recuar. O famoso jabá (execução paga em rádio e TV, para os inocentes que não conhecem) já era então institucionalizado como prática comum – alguma semelhança com o que hoje conhecemos como caixa dois não é mera coincidência.

{Se você quer entender o que foi que aconteceu com a música popular brasileira, procure saber o que o jabá significa...}

Tudo isso, somado às diferenças de perfil musical entre nós, apesar da amizade e respeito mútuo, inviabilizaria tamanha empreitada. Não era um bom momento para dar um passo desses, e o Baobá (nome sugerido para o selo) acabou murchando antes mesmo de ter brotado. Seguimos em frente, cada um com seu projeto. E Belchior virou um grande mistério – até que chegasse a morte (ou coisa parecida).

D.E.P. Belchior – descanse em paz. R.I.P. não combina com aquele rapaz latino-americano.

≡

Em 1989, numa reunião entre o então candidato Lula e um grupo de artistas e intelectuais, Jorge Mautner profetizou: no futuro próximo, os presidentes das nações serão figuras midiáticas, e quem irá governar de verdade serão as grandes corporações. Ficou um clima esquisito no salão. A plateia, que ainda acreditava em direita e esquerda, parecia achar que ele estava maluco... Eu estava lá e não esqueci. Foi a coisa mais lúcida dita naquela noite.

É isso. A gente elege o apresentador do show, mas quem manda mesmo são os patrocinadores.

≡

Num especial de TV dedicado à obra de Chico Buarque, éramos eu e Elba Ramalho cantando aquele maravilhoso repertório. Havia também uma pequena entrevista, em que o apresentador nos perguntava sobre a relação pessoal de cada uma de nós com o homenageado. Elba, naturalmente, tinha muito mais assunto que eu: falou de sua participação na *Ópera do malandro*, em gravações e shows, e completou o depoimento contando sobre festas alucinantes que rolavam nos anos 1980, onde ambos sempre se encontravam.

"E você?" perguntou para mim o apresentador do programa. "Encontrava também com o Chico nas festas?"

Fui sincera: "Em festas, não. Mas em velórios, nos encontramos muito..."

≡

Na chegada a Boston, o homem da alfândega viu meu violão e perguntou se eu tocava bossa nova. Quando eu disse que sim, justamente, ele me falou todo orgulhoso que estava aprendendo, e que já sabia tocar "O barquinho" e "Garota de Ipanema" (ele não conseguiu dizer garota, virou *galeta*...)

Não contei a ele da minha amizade com os autores. Achei que era um pouco demais.

Agora repito o que venho dizendo há anos: a bossa nova é o Brasil que deveria ter sido e que ainda não foi (e que não sei se chegarei a ver). ~

Meio a meio

FUNDAMENTAL É MESMO O AMOR

Algum tempo atrás me surpreendi bastante com uma matéria que li num jornal sobre a novidade da busca do amor romântico pelos gays, uma comunidade que, diz a lenda, não estaria nem aí para isso. Mas hoje a maioria quer encontrar um parceiro estável, casar, até mesmo constituir família. Como diz um dos entrevistados, "ninguém aguenta mais o sexo nômade".

Na mesma matéria li uma declaração que muito me envergonhou: uma escritora, feminista das antigas, dizia que o amor romântico é um retrocesso, e que "com os gays vai acontecer o que aconteceu com as mulheres, que ficavam em casa de bobes no cabelo, gordas (!?) enquanto os maridos se viravam com as secretárias". Perdão, cara senhora, mas de que homens e de que mulheres estamos falando? Hoje, em pleno século XXI, ainda existem maridos que se viram com as secretárias e deixam as infelizes esposas em casa? Pode até haver, mas as mulheres (graças aos esforços das feministas da primeira geração, justiça seja feita) há muito deixaram de ser bobas. E os homens, por sua vez, aprenderam a ser mais sensíveis – os inteligentes, pelo menos, e são esses os melhores, os que nos interessam.

O amor romântico de retrocesso não tem nada, ao contrário, é um avanço que a civilização ocidental foi conquistando desde o final do século XIX. Antes disso, os casamentos eram transações comerciais entre famílias. O século XX raiou com a possibilidade de cada um casar oficialmente com o objeto de sua paixão, e por escolha própria. Um avanço, repito, ainda que lá pelos anos 1940/50 o moralismo vigente tenha tornado mais amarga a geração de nossos pais. Mas que nossa geração, a dos jovens dos anos 1960/70, se encarregou de demolir.

Lindas e exemplares foram as declarações dos gays entrevistados, todos conscientes de que fundamental é mesmo o amor, *all you need is love*, qualquer maneira de amor vale a pena etc. etc., como sabiamente proclamam as canções, que têm resposta pra tudo. Vejam o que eles dizem:

"Essas nomenclaturas (gays, lésbicas, héteros) não têm mais sentido. Todos somos 'bicho-gente', e sendo assim, podemos viver um amor romântico. Seja com quem for, da maneira que for, desde que seja amor." (Qualquer maneira de amor vale amar...)

"O amor jamais será fora de moda ou retrô. Ele é o ar que me alimenta." (Adorei isso, que lindeza!)

"É importante pra todo ser humano ter essa experiência, pelo menos uma vez na vida." (Digo isso sempre para as minhas filhas... Mesmo que nada dê certo!)

Na minha modesta opinião feminina, nós mulheres não precisamos mais querer ser iguais aos homens de antigamente no quesito relacionamento, com seus erros e inseguranças, trocando de parceiro a toda hora e separando o amor de casa do amor da rua. O tempo de queimar os sutiãs já passou e hoje queremos ser – apenas – tudo: criar nossos filhos e filhas (em parceria, de preferência), ser profissionais competentes (aí sim, iguais!), amar apaixonadamente (nem que seja só uma vez, como disse a pessoa entrevistada) – sem esquecer a amizade, outra maravilhosa forma de amar.

Como, acho eu, pessoas de todos os gêneros querem também. O mundo já anda complicado demais, e o amor é grande alívio nesta vida. Portanto, jogue suas mãos para o céu e agradeça se acaso tiver um. ~

HEMINGWAY

> *Quando duas pessoas se amam, são felizes e alegres, e estão empenhadas, juntas ou individualmente, numa tarefa construtiva, os outros se sentem atraídos por elas como as aves migradoras são atraídas à noite pela faixa de luz de um farol poderoso.* (Ernest Hemingway, *Paris é uma festa*)

Hemingway, que tristeza. Escreveu isso olhando pelo retrovisor de uma vida inteira, quando era tarde demais, e seu primeiro e feliz casamento já havia sido desfeito há décadas. Felicidade na juventude é sempre um risco. Principalmente quando se está engajado num ideal, com objetivos definidos; quando aquilo que se tem ainda está assentado sobre bases frágeis; quando ainda não se sabe exatamente quem se é; e mais todas as alternativas acima e outras que puderem ser inventadas.

Tivemos a sorte de perceber a tempo o risco que corríamos ao ser felizes demais, jovens demais, inocentes demais, saudáveis demais, apaixonados demais. Pode acontecer de ingenuamente você permitir que os peixes-pilotos (expressão de Hemingway) penetrem na sua vida de alguma forma. Atrás deles vêm todos os perigos. As inveja, os malquereres, os desejares, tudo o que pode minar alicerces. Quando se está despreparado, isso pode fazer ruir o que mais à frente, com o tempo, viria a ser sólida construção.

Mas fomos protegidos e, de uma forma ou de outra, conseguimos segurar a casa antes mesmo que a primeira parede viesse a desabar. E hoje ela é madeira de lei que cupim não rói. É dela que vivemos e agradecemos pelo que, por nosso esforço conjunto, foi construído.

Desde o tempo em que éramos, como diria Hemingway, muito pobres e muito felizes. ~

MEIO A MEIO

Quarenta anos, brincando, brincando, é toda a vida adulta de uma pessoa. Se o casal em questão se conheceu ainda jovem, significa que a formação das personalidades aconteceu em conjunto, embora o caráter básico de cada um(a) já estivesse ali. Mas é assim que se dá a mistura que define quem se é. É um jogo de mão dupla, e tudo o que vai, volta. E nem sempre é moleza. Aliás, quase nunca. Todo mundo gosta de abará, mas ninguém quer saber o trabalho que dá...

Vale a pena? Vale, se os dois quiserem muito. Quando um(a) não quer, dois não sobrevivem. Quando ambas as partes investem uma vida nisso, é garantido que dá pé. Vai ser bom, vai ser meio a meio.

Família: uma vez ouvimos Frei Betto, que celebrava a união de um casal amigo nosso, lembrar aos noivos que "marido e mulher são amantes, não parentes". Achamos lindo, mas depois isso me fez pensar. Não necessariamente. Amantes sim, mas parentes também. A parte amante, naturalmente, é a mais prazerosa. Mas funciona como um bônus para os momentos-família, que são os que cansam e tiram o sono. Todo mundo gosta de acarajé, mas o trabalho que dá pra fazer, é que é...

E falando em trabalho: se for feito em conjunto, é o que há de melhor na vida – de novo, se os dois lados quiserem. Competição, se rolar, arruína tudo. É pra jogar para o time.

Aliás, como na vida. Nem sempre ganhando, nem sempre perdendo. Pobre de quem acredita na glória e no dinheiro pra ser feliz.

É uma dura caminhada pela estrada escura, cada vez mais. Mas a gente vai acendendo a luz possível, do jeito que dá. E vamos indo. Até aqui, tudo bem. Mais de quarenta anos em perfeito estado de funcionamento, e ainda é muito bom. ~

Feminina, menina

EU SOU APENAS UMA MULHER

Prezado Dr. Freud: antes de mais nada, desculpe estas mal traçadas linhas. No momento em que lhe escrevo, acabo de cruzar a linha de chegada de uma série de atividades que o senhor nem imagina, e que foram iniciadas numa máquina de lavar roupa, lá pelas oito da manhã. Como vocês aí talvez não saibam do lixo ocidental, devo lhe explicar que estou numa linda cidade chamada Rio de Janeiro, que fica num lindo país chamado Brasil, América do Sul, Planeta Terra – portanto, escrevo a partir da minha casa. As linhas estão mal traçadas por motivo de má posição do computador que estou utilizando. Depois explico.

O motivo dessa carta é mais ou menos assim, um desabafo. O senhor aí no céu dos intelectuais já deve ter tido o prazer de conhecer aquela francesa chamada Simone de Beauvoir – aquela que disse que quem quisesse entender as mulheres precisaria primeiro esquecer o senhor. Pois é, justamente. Imagino que o senhor, sendo um intelectual da virada do século XIX para o XX, tenha ficado um pouco incomodado com isso, ou mesmo ofendido com tamanho desaforo. Mas veja bem, estou lhe escrevendo já diretamente do século XXI... Mudam-se os tempos, mudam-se as vontades, como dizia aquele poeta luso do século XVI.

Pois então. Quando o senhor lançou aquela teoria sobre a inveja do pênis que toda mulher teria – oh, céus! –, imagino que pouco se sabia sobre nós, essa espécie esquisita, as fêmeas da espécie humana. Caro doutor, acredito que já chegou ao seu conhecimento que nós mulheres somos possuidoras de uma poderosa ferramenta de prazer, com cerca de oito mil terminações nervosas, de estrutura extremamente complexa – isso mesmo, um clitóris, aquele órgão que o senhor subestimou. A simplicidade objetiva do pênis, por encantadora e comovente que seja, com seu fabuloso design, não lhe chega nem perto em termos de resultados. Essa inveja, doutor, eu lhe garanto que não tenho, nem tive jamais.

Porém, ai porém, caro doutor, estou aqui lhe escrevendo para confessar uma outra inveja. Como estamos no seu ambiente e no meu "lugar de fala", como agora é moda dizer por aqui – estou até sentada numa espécie de divã –, vou voltar no tempo, como se estivéssemos numa sessão de análise.

Saiba, Dr. Freud, que tenho uma inusitada profissão: sou cantora, compositora, instrumentista... enfim, faço música. E a música do meu país tem sido tão (ou até mais) importante para a cultura do mundo quanto foram as valsas vienenses da sua época. Verdade! Quando pus o pé na profissão éramos pouquíssimas as moças que cometiam essa ousadia. Mas insisti e aqui cheguei, razoavelmente bem-sucedida no meu ofício. Tenho também vários e brilhantes contemporâneos compositores homens, pois minha geração foi uma das mais ricas em talento na segunda metade do século XX. Guarde essa informação.

Um dia recebi uma jornalista em minha casa para uma entrevista. Ela viu na parede do corredor um quadrinho com uma charge de um desenhista chamado Lan, feita no já distante ano de 1967, em que apareço sentada com vários desses companheiros de geração ao meu redor. Éramos ali todos jovens, bonitos, cheios de fé no futuro. Ela então me fez a clássica pergunta: "Você nunca pensou em namorar um desses caras?", ao que respondi: não. Eu não queria namorar um dos caras... eu queria SER um dos caras!

Estou sendo extremamente sincera ao lhe relatar isso, caro doutor. Porque aí chegaremos ao ponto crucial da conversa, que é a questão da inveja. Não, não tenho inveja alguma do talento dos meus companheiros de geração, a quem inclusive admiro profundamente. Eles têm seu brilho, eu tenho o meu, e cada um sabe de si. Mas há um componente na vida deles que eu invejo, invejo sim. Eles têm... tempo. Porque têm, ou já tiveram, esposas.

Esposas, doutor Freud! Uma esposa é um componente extremamente importante na vida de qualquer criador. Aquela criatura que lhe organiza a vida, a casa, cuida da educação dos filhos, providencia para que o gênio não seja perturbado enquanto exerce sua genialidade, porque o papai está trabalhando. Veja só que coisa maravilhosa. Às vezes o criador resolve escrever um livro, digamos, ou compor música, qualquer coisa assim – e viaja pra algum lugar tranquilo onde possa criar sem ser perturbado. E fica lá fazendo o que tem de fazer, na certeza de que sua vida estará sendo administrada com amor e competência. E nenhum dos filhos ou filhas irá lhe instilar qualquer sentimento de culpa ou de ausência, porque a mãe estará lá a postos, sempre alerta. Só vendo que beleza.

Uma esposa, doutor Freud... Aqui em casa nem meu marido tem uma dessas, quanto mais eu. O senhor teria alguma sugestão?

Ô MÃE!

Sou filha de uma *working mom*, mãe trabalhadora, numa época em que isso era muito raro. Passei a infância sendo cuidada durante o dia por outras mães trabalhadoras – no caso, trabalhadoras domésticas, numa situação que o filme *Que horas ela volta?* descreve muito bem: a terceirização da terceirização da maternidade. Na escola passei muito *bullying* por estar usando uma meia furada, por exemplo ("Cadê a mãe dessa menina? Ah, coitada, a mãe dela trabalha fora...")

Ainda assim, nunca me senti negligenciada, pelo contrário. Minha mãe usava o tempo de que dispunha pra se mostrar presente (até um pouco demais, eu diria) na vida dos filhos. Ela era uma dessas mães-bruxas que trabalham e ainda gostam disso. Quando se aposentou, virou avó em tempo integral e foi a melhor de todas nessa função. Mas essa é uma outra história.

Dona Zemir era até bastante liberal em comparação com outras mães que eu conhecia. Minhas amigas eram proibidas de namorar, eu não. Tinha uma liberdade relativa, podia frequentar festinhas e eventualmente sair – apenas à tarde – com rapazes. Claro que havia um megatabu em relação a sexo: naqueles anos 1960, tal comportamento era impensável – o que não quer dizer que não se fizesse. Mas conversando com algumas colegas da época, fico sabendo que pelo menos minhas amigas do colégio, em sua maioria, casaram todas tecnicamente virgens, conforme mandava a tradição. Caramba, então fui a única maluca da minha turma a romper com essa hipocrisia? Quando, aos dezenove anos, conheci meus primeiros amigos no meio musical, fui "proibida" de participar de um trabalho numa peça amadora, em que eu seria assistente de direção musical. Quando conto essa história, há quem estranhe tal proibição, pois hoje em dia não se proíbe mais nada a uma pessoa de dezenove anos. E eu fazia faculdade, trabalhava, era relativamente independente, embora ainda morasse com minha mãe. Mas saibam que em 1967 a coisa era outra. Mudam os tempos e os costumes. De qualquer forma, a proibição de trabalhar com gente de teatro – ou do meio artístico, que seja –, na verdade escondia esse viés moralista, o medo de que a menina se desvalorizasse no mercado matrimonial, futuramente. Como eu não tinha pai que exercesse essa função de fiscal da minha vida íntima, minha mãe – separada e vítima ela mesma de todo o tipo de preconceito por conta disso – tomou a si essa ingrata tarefa. Nunca pudemos ter uma conversa aberta a respeito. Minha linda e corajosa mãe era travadíssima nesses assuntos. O que aprendi, aprendi em conversas com amigas. E as amigas do colégio de freiras, pela própria inexperiência, não podiam ser minhas confidentes nessa hora. Aliás, ninguém era: segui em frente, nesse particular, em total solidão. Só depois de conhecer outras meninas envolvidas com o ambiente de música e artes pude receber algum tipo de orientação, tipo encontrar um médico, tomar anticoncepcional etc. Tudo até então era feito correndo riscos e na base do improviso.

Eu sonhava em sair de casa, morar sozinha, ser dona do meu nariz. Dona Zemir era maravilhosa, bem-humorada, recebia bem meus amigos, que tinham até dia certo pra jantar lá em casa, conforme as conveniências do cardápio: Bituca invariavelmente aparecia "por acaso" às quintas-feiras, quando havia sopa de ervilhas e empadinhas de queijo, que ele adorava; Lucina, esperta e gulosa (e nossa vizinha no Posto Seis), sabia que terça era dia de feira no bairro e que portanto haveria, com sorte, camarões – sua visita já era meio que esperada nesse dia. Não que minha mãe fosse essa cozinheira toda: na verdade, ela odiava cozinhar, vivia ocupada com seu emprego, e naquela época quem cuidava de tudo já era a maravilhosa Maria Santana, que foi sua assistente doméstica durante uns bons quarenta anos e é uma amiga querida da família ainda hoje. Eu, como criança ou mesmo adolescente, não tinha sequer permissão para entrar na cozinha. Talvez minha mãe temesse pelo meu futuro.

No entanto, essa aparente tolerância materna tinha preço: a intrusão em meus assuntos e de meus irmãos era constante, desde a adolescência. Jamais esquecerei aquele Natal em que, aos dezoito anos, fui presenteada com uma Arca da Barki – quem foi mocinha nos anos 1960 sabe a ameaça que isso significava. Era uma arca repleta com itens de cama, mesa e banho da loja Helio Barki dada às noivas (ou comprometidas) para compor o enxoval. Eu tinha um namoradinho, colega meu na PUC, que estava presente no momento em que recebi esse duvidoso mimo. Morri de vergonha, mas o pior é que o pobre rapaz acreditou e me apareceu dias depois com uma aliança. Precisei de muita diplomacia pra desfazer o equívoco: não, eu não tinha a menor intenção de me casar tão cedo.

Quando meu trabalho na música foi ficando mais profissional, outras diferentes interferências foram pipocando: minha mãe, que de início era contrária à minha escolha profissional, começou a participar e dar palpites quando eu recebia alguém da imprensa em casa, o que me levou a passar a marcar as entrevistas em lugares neutros ou quando ela estava fora, trabalhando. Dava opinião, na lata, sobre meus eventuais parceiros letristas – "meu filho, vai me desculpar, mas isso aí não é poesia", foi sua frase para Capinan certa noite, na mesa de jantar, para meu absoluto constrangimento. E os namorados, claro, tinham que passar pelo seu crivo, o que sempre era sinônimo de encrenca, pois nossos gostos nesse particular não podiam ser mais opostos. Só coincidimos quando, aos 29 anos, me casei com o Tutty, que ela adorou de cara. Mas ele, inconscientemente ou não, é um sedutor nato – então, é claro, não seria diferente. Por que estou contando tudo isso? Porque hoje me dou conta de coisas que fui simplesmente vivendo, sem parar pra pensar em nada. Sei que me casei cedo demais, levada pelo simples impulso de ser independente e me libertar dessa tirania materna – cheia de amor, é verdade, mas incrivelmente intrusiva e autoritária, opinando em tudo e querendo decidir sobre minha vida e meus relacionamentos. Portanto aos 22 anos saí de casa, o que era meu sonho. Só que através de um primeiro e prematuro casamento, o que significa que de uma tirania passei para outra pior: aquela tirania masculina, tão comum, que desconsidera o pensamento e os dons da mulher. Dessa, melhor não falar.

Mas fazer essas reflexões hoje me dá a exata medida do quanto é preciosa a liberdade que finalmente conquistei, para simplesmente existir e ser quem sou. E do quanto minha geração de mulheres teve de lutar para se libertar de todos os grilhões emocionais, afetivos, sociais e outros tantos, em que alguém sempre se arvorava a ser dono ou dona de nossas vidas, nossos corpos, nossas decisões mais íntimas. Como se alguém pudesse ser dono de alguém. As meninas de hoje não fazem ideia do quanto nos custou a liberdade delas. Ainda assim, agradeço quando vejo a situação de tantas mulheres aqui no Brasil e por todo o planeta. O feminismo ainda tem muito o que fazer nesse mundo.

Mas... e se a gente inventasse um feminismo à brasileira? ~

COMO DIZ LEILA DINIZ

Há muitos anos o nome de Leila Diniz passou a ser associado à liberdade feminina, que ela praticava sem precisar pregar, simplesmente vivendo e sendo dona de seu nariz. O que, naqueles anos 1960/70 do século XX, convenhamos, não era nada fácil. Por exemplo, a famosa foto de Leila na praia, exibindo seu barrigão de grávida ao sol, fazendo o que todas nós tínhamos vontade de fazer – e fizemos, dali em diante – foi, na época, um escândalo.

    Sobre Leila: não é que fôssemos, assim, amigas próximas. Basicamente nos conhecíamos de vista. Mas naquela época Ipanema era uma ilha, Ipanema era só felicidade e todo o mundo conhecia todo o mundo. E já tínhamos nos cruzado diversas vezes, até mesmo involuntariamente dividindo um mesmo namorado, o que resultou em muitas risadas nossas e total constrangimento do galã em questão... Até que no último encontro – que já não lembro se foi numa festa na casa dos pais de Olivia Hime, ou mesmo nos bastidores de um show do Milton, num teatrinho aqui do Rio – eu estava gravidíssima da minha segunda filha.

    Leila, que tinha recentemente sido mãe também, assim que me viu veio me dar um beijo na barriga. Barriga duplamente abençoada, pois pouco antes recebera também a bênção do Tom cantando pra mim uma frase de sua novíssima "Águas de março": "É a promessa de vida na barriga da

Joyce." Meu bebê nasceria, portanto, com todos os melhores prognósticos.

No dia 14 de junho de 1972, a notícia estampada na primeira página de um jornal foi um choque: "Leila-vida se apagou num clarão." Ela estava num avião que explodira na Índia, possivelmente por algum atentado terrorista ou coisa parecida, nunca ficou muito claro. Chorei intensamente a partida daquela mulher luminosa, que ajudara minha geração a se tornar mais livre. Éramos todas leilasdinizes então, praticando um feminismo à Ipanema, sem os argumentos teóricos de nossas companheiras americanas e francesas. Mas Leila era nossa vanguarda, pois falava aberta e publicamente do que todas nós já exercíamos na prática. E por isso mesmo era quem aguentava as consequências.

Meu bebê nasceu três dias depois, de parto normal, no dia 17 de junho. É hoje uma mulher livre, como todas as minhas filhas são. Elas nem fazem ideia do que era ser mulher na era pré-Leila Diniz. Mas certamente sabem do que pode vir a ser – que é onde mora o perigo. ~

DEIXA A MENINA EM PAZ

Lembro claramente do dia em que vi minha filha mais velha ser pela primeira vez assediada na rua, ela devia ter uns onze anos. Mas já começava a ter "corpo de mocinha", como se dizia então. Morávamos no Jardim Botânico, eu deixara minhas duas meninas maiores na esquina do prédio e seguia num táxi. Havia um grupo de peões de uma obra próxima sentados no chão, no seu horário de almoço. Algum deve ter dito alguma coisa. Vi quando ela retesou o corpo e seguiu num passo mais duro e mais rápido, entrando na nossa portaria, seguida pela irmã menor. Assisti de longe ao seu momento de perda da inocência.

Difícil nascer mulher neste mundo.

Fui criada por mãe solteira, descasada, com irmãos bem mais velhos em casa e uma infinidade de amigos e primos entrando e saindo. Tantos rapazes na área poderiam ter sido sinônimo de encrenca, mas minha mãe não era fácil, os meninos morriam de medo dela. Cresci bastante protegida, tanto por ela quanto por meus irmãos, e só depois de muito tempo entendi o quanto essa rede protetora de fato me ajudou. Ainda assim, aos treze anos, quando sofri o primeiro assédio mais sério por parte de um vizinho, adulto e militar, reclamei em casa e fui tomada por mentirosa: "Um rapaz tão direito não faria uma coisa dessas, você tem imaginação demais." Aprendi rapidamente que era para me defender sozinha. Mas um de meus irmãos – o mais frágil fisicamente – praticava jiu-jitsu e me ensinou alguns movimentos, que de início foram usados contra meninos mais atrevidos ("Dona Suzette, sua sobrinha é muito nervosa!") e que me seriam muito úteis no futuro um bom par de vezes.

A primeira foi quando eu estagiava no *Jornal do Brasil* e precisei entrevistar um cientista prêmio Nobel, em visita ao Rio. Caí na tradicional roubada de fazer a entrevista no apartamento que ele ocupava no Copacabana Palace – e não é que o velhote safado tentou me agarrar? Claro que reclamei, de volta à redação. O pessoal do jornal disse que não podia fazer nada, e que eu guardasse para mim o ocorrido. Mais uma lição: a culpa era minha, claro, pois quem mandou a estagiária otária aceitar subir ao apartamento do respeitável cientista?

Muitos anos e outros assédios se passaram, e fui aprendendo a levar no bom humor as inevitáveis cantadas que toda mulher enfrenta, nem sempre fofas (se bem que a mais grosseira de todas não me veio de um homem, e sim de uma colega, e foi respondida à altura). Mas fui levando, vivendo e aprendendo a me desvencilhar com algum jogo de cintura das situações desagradáveis – principalmente aquelas que partissem de alguma pessoa até então querida, o que volta e meia acontecia.

{Novos conhecidos também: numa das primeiras idas ao exterior, com Vinicius e Toquinho, fiquei sabendo que um contratante italiano me definira como *a primeira brasileira inacessível* que ele conhecia… Vejam só a quantas sempre andou nossa brasileira imagem pelo mundo!}

Até que me deparei com outra situação de emergência, em que meus parcos conhecimentos de artes marciais precisaram ser novamente postos em prática.

Era uma reunião de artistas, de cunho político, em algum lugar dos anos 1980, numa cidade em Minas Gerais. Muita esperança na redemocratização e no futuro, amigos trocando ideias, celebrando o grande país que finalmente nasceria. Enquanto fazíamos planos para o novo tempo, a imprensa cobria nosso encontro, discretamente. Havia jornalistas estrangeiros também, e um desses, que eu já conhecia bem, me pediu uma entrevista. Eu já estivera na casa dele numa viagem ao exterior, conhecera a família, esposa, filhos e tudo o mais, portanto senti confiança quando ele me explicou que o equipamento de gravação estava montado em seu quarto de hotel. Fui até lá, dei a entrevista conforme o combinado… mas na saída, pimba! eis que o jornalista gente boa se transformou no cientista prêmio Nobel dos meus dezenove anos, e precisou ser convenientemente jogado no chão através de um *hane goshi* – golpe que me fora ensinado por meu irmão mais velho na minha pré-adolescência.

Nosso encontro de artistas contava com poucos recursos financeiros, e por isso todos dividíamos os quartos de hotel com outros colegas. Eu dividia o meu com uma amiga que eu conhecia há anos, que viu quando cheguei furiosa com o acontecimento, escutou minhas queixas e me deu sugestões sobre o que dizer ao assediador quando encontrasse com ele de novo. No dia seguinte, no café da manhã, a notícia já correra e as brincadeiras foram fartas. Dispensei os conselhos, lembrei aos meus amigos que nesses casos o consentimento e a livre negociação entre as partes era fundamental, e mais uma vez guardei a indignação para mim mesma. Feminismo, nessa época, definitivamente, ainda não era moda.

Passou o tempo e nunca mais falei com o desastrado jornalista, embora ele mais tarde tivesse tentado se explicar. Fiquei sabendo, anos depois, que ele se separara e casara de novo. Com aquela mesma minha companheira de quarto do encontro de artistas em Minas... Vá entender a lógica de certas mulheres numa hora dessas. Deve ser síndrome de Estocolmo. ∼

NAMORADOS

Casei cedo, para os padrões de hoje: aos 22 pela primeira vez; aos 27, na segunda (que foi mais, digamos, uma "amizade com benefícios"), e aos 29, na terceira e definitiva (que oficializamos no papel 24 anos depois, ambos aos 53). As duas primeiras vezes foram as chamadas "bolas fora": depois de algumas primeiras decepções amorosas, calculei que faria um bom negócio ao casar, mesmo sem estar apaixonada, com grandes amigos – só que não. Na terceira vez, casei apaixonadíssima, mergulhei de cabeça numa história com todas as chances de dar errado – porém, bingo! ganhei de bônus um companheiro incrível e um melhor amigo para a vida inteira. São as trapaças da sorte, são as graças da paixão, diria meu parceiro Cacaso.

Sou partidária da tese de que para viver um grande amor é preciso conhecer antes os pequenos amores, pois treino é treino, jogo é jogo. Por isso, fora os três casamentos, também namorei bastante durante a minha adolescência e primeira juventude. Bastante, mas nem tanto como parece que as pessoas acham... Volta e meia alguém se apresenta como amigo ou parente de algum "namorado" meu. O problema é que quase nunca sei de quem se trata. Como ainda não fiquei maluca e continuo dotada de excelente memória, sei direitinho os nomes de cada um dos namorados reais que tive. Esses que têm me aparecido, lamento dizer, são produtos da delirante fantasia de alguém.

Conheço bem os poderes afrodisíacos e românticos do palco, tapete mágico feito para iludir, criar o sonho. Aquelas luzes sobre a pessoa, o som de uma voz numa gravação, o desejo secreto de que aquela música, com que a pessoa se identificou tanto, tivesse sido feita para ela... Tudo isso junto pode alimentar todo o tipo de fantasia. Em alguns lugares a coisa pode sair do controle, como a gente vê nos Estados Unidos, onde às vezes os *stalkers*, ou perseguidores, quando apanhados em flagrante, recebem ordem judicial de ficar a x metros de distância do objeto de seu interesse. Conheço algumas pessoas que passaram por isso e já presenciei situações bizarras. É dura a vida da bailarina.

Na minha avançada faixa etária, felizmente, quase não corro mais esse perigo. Mas é comovente e um pouco triste ver como, vez por outra, alguém da minha geração conta vantagens para algum parente, amigo ou vizinho – talvez numa tentativa de se dar importância diante da família, alimentar o próprio ego ou dar um pouco de graça a uma vida que talvez não tenha tido nenhuma, vai saber? Como o caso daquela senhora que me abordou no toalete de um teatro para me dizer que meu ex-namorado, marido dela, tinha recentemente falecido. Infelizmente, esse era alguém que eu não tinha a mínima ideia de quem fosse. Como destruir a ilusão de uma viúva tão recente? E de onde, pelo amor de Deus, ela tirou essa ideia?

Ou então aquela linda mocinha que atravessou o país de avião para assistir a um show meu em Nova York, eu que fora namorada de seu falecido pai. Fiquei passada, pedi mais informações a ela, tive de dizer que não me lembrava, e era verdade, eu não lembrava mesmo. Depois, juntando os dados no meu quase imbatível HD de memória, a ficha caiu. Eu conhecera o pai dela, sim. Tinha dançado com ele uma vez – uma vez! – numa festinha, nos meus distantes treze anos de idade, e ele me enviara depois uma ardente carta de amor – não respondida, pois eu era quase uma criança. Uma simples dança, sem outra aproximação física nem troca de telefones, num bailinho de domingo, estaria longe de ser considerada namoro, mesmo para os padrões dos anos 1960. Mas vá explicar isso para a moça que tinha ouvido essa história contada pelo pai a vida inteira.

Meu *brother* Dori Caymmi, por exemplo, volta e meia ouve alguma senhorinha – e nesse caso, são idosas mesmo – dizendo que foi musa de seu pai Dorival: "eu sou a Dora!", elas dizem, "eu sou a Marina..." Neste último caso, Dori sempre retruca: "Desculpe, minha senhora, mas a Marina sou eu: eu é que, quando era pequeno, vivia dizendo para os meus pais que ia ficar de mal com alguém. Foi daí que meu pai tirou a ideia dessa canção." Não sei se elas aceitam a dura realidade.

Ignoro como funciona esse mecanismo de fantasia que algumas pessoas desenvolvem, mas sei que não há mesmo nada que nós, que estamos debaixo do refletor, possamos fazer para evitar que isso aconteça. Se acontece comigo, que sempre me preocupei em separar bem as coisas, imaginem com quem não... Portanto subo nesse palco, correndo tais riscos em nome da música – que é, ela sim, minha eterna namorada. ~

PALCO É ZONA ERÓGENA

Eu estava na plateia numa noite em que uma fã mais exaltada gritava para Chico Buarque incessantemente: "Gostoso! tesão!" Não era a única, mas a mais ruidosa e chegava a atrapalhar e desconcentrar o artista. Sentada numa das primeiras mesas, bem próxima das filhas e dos netos dele, dava pra ver o incômodo que isso lhe causava, e que acabou provocando a frase que no dia seguinte estava em todos os jornais: "Pô, tesão não, meus netos estão aí... fica parecendo aquela coisa, vovô viu a vulva..."

Mas acontece que palco é assim: transforma quem o ocupa em objeto de desejo. Não sei se são aquelas luzes ou simplesmente a impossibilidade de se aproximar da pessoa a quem se admira o que acaba provocando um efeito paradoxal. Talvez o vazio da vida diária, sei lá. Já vi de tudo, e dos dois lados do balcão.

Quando eu tinha uns treze, catorze anos, fui apaixonada por Anthony Perkins, o ator que depois ficaria célebre como o Norman Bates de *Psicose*. Apaixonada seria exagero, não é que eu quisesse casar com ele ou coisa parecida – a fantasia recorrente das adolescentes com seus ídolos –, mas era uma grande fã. Não perdia um filme, achava que ele era lindíssimo e ouvia sem parar seus discos. Ainda ouço, pois se ele nunca chegou a ser exatamente famoso por isso, era um excelente intérprete de *cool jazz*, na melhor linha Chet

Baker. E na vida real, depois fiquei sabendo, uma figura quase tão sofrida quanto.

Um dia, lá pelos meus quinze anos, tive a oportunidade de estar com ele ao vivo. Ele viera ao Brasil promover um filme e estava hospedado no Copacabana Palace. Fui até lá com algumas amigas, na cara-de-pau. Entramos na pérgola do Copa e lá estava ele na piscina. Eu era a única que já falava um inglês melhorzinho e servi de intérprete ao grupo. Vi como ele ficou irritado com as meninas que insistiam em tratá-lo como um garoto à procura de mãe: "*I have a mother, thank you.*" Diante disso, peguei meu autógrafo no livro de latim – a gente estudava latim!!! – e saí de fininho.

{Esqueci de mencionar, meu herói era gay. Elegantemente, novaiorquinamente gay. E nesse ponto, juro, contou com toda a minha simpatia.}

Saindo da tela e voltando ao palco como zona erógena: na nossa profissão, tem gente que gosta e até busca isso. Outro dia mesmo um repórter me procurou a propósito: ele havia entrevistado algumas colegas minhas de geração, seguramente mais ricas e famosas do que eu, que usaram os chamados atributos físicos para alavancar a carreira. Você já viu isso nas capas dos discos: um peito aqui, uma coxa ali, uma genitália coberta por um paninho. Veja bem, não falo daquele pessoal da preferência nacional, da música de massa, mas de algumas com status mesmo de grandes cantoras. Isso era (desde os anos 1980, e ainda hoje) visto como atitude, liberação do corpo – tese que sempre assumi de fato na vida privada, porém jamais na carreira.

E me perguntava, o repórter, por que nas capas dos meus discos, mesmo nos da mais tenra juventude, ele mal via um ombro de fora. Eu disse a ele que respeitava, obviamente, a opção de minhas colegas, embora visse um tanto de ingenuidade nesse tipo de exposição – elas, talvez se achando muito transgressoras, estavam na verdade sendo usadas para fins nada musicais, como se estivessem numa capa de revista masculina. Tive, a duras penas, de explicar minhas convicções feministas: se nossos corpos nos pertencem, o meu não estava ali para servir de chamariz e dar lucro para a indústria fonográfica, eu estava mais a fim de mostrar minha música do que a minha figura etc. etc. E que política do corpo a gente faz, sim, e muito, mas na vida real. Afinal, sendo uma garota de Ipanema vintage, até hoje sou capaz de tirar um sutiã em público sem que ninguém perceba... Não sei se ele ficou muito convencido, mas expliquei como pude meu ponto de vista.

Na juventude cheguei a passar por situações constrangedoras por conta dessa minha postura. Uma de que nunca me esqueço foi a da minha participação num festival universitário em Porto Alegre, aos 21 anos de idade. A plateia de estudantes, predominantemente jovem e masculina, não me dava refresco e quase não consegui cantar – a voz abafada, não por vaias ou aplausos, mas por gritos de "é muito boa! é muito boa!", expressão popular da época, que hoje seria traduzida simplesmente como "gostosa". Eu estava usando um moderníssimo minivestido preto de veludo, *made in London*, mas na final – pois minha música fora classificada entre as finalistas – tratei de trocar o figurino por uma blusa de seda, fechada até o pescoço, e uma saia longa, parecendo mais uma freira *fashion* do que uma cantora jovem. Com isso o público silenciou, e pude cantar minha canção em paz, que alívio.

Na verdade, sempre achei profundamente irritante esse tipo de exposição e mais ainda aquele tipo de fã que mistura as estações. E agradeço ter chegado àquela faixa etária em que nós, mulheres, nos tornamos invisíveis. Assim não corro mais o risco de nenhum ouvinte mais arrojado me fazer passar pelo mesmo constrangimento que Chico passou com as admiradoras dele. Vovô viu a vulva, mas vovó viu... o palco.

A VELHA MALUCA É DOIDA

Jane Fonda, ao completar oitenta anos, andou escrevendo sobre a passagem do tempo e como administrá-la. Estava inclusive começando um livro sobre o assunto, quando lhe apareceu uma temporada na Broadway, oito espetáculos por semana. Melhor, impossível. Não há como ficar deprimida com um ritmo de trabalho desses. *God bless*.

Sempre me pergunto, por exemplo, como foi que minha mãe aguentou a aposentadoria, depois de 38 anos de trabalho diário de 9 às 17h. Ela ia à praia, nadava, lia muito, ajudava a mim e a meus irmãos quando precisávamos de algum suporte com nossos filhos e filhas. Também tinha seus momentos de nostalgia do trabalho no Ministério da Fazenda, conversando com antigas colegas e descobrindo novas formas de investir dinheiro (talento que infelizmente não herdei), o que para ela era diversão garantida. Era uma pequena investidora de classe média, mas extremamente esperta. Se dispusesse de mais capital, teria ficado rica, mesmo naqueles tempos de inflação. Nessa ela foi levando seu tempo ocioso até os noventa anos de idade. Lúcida e fazendo palavras cruzadas.

Enfim, minha mãe e Jane Fonda, personalidades totalmente incompatíveis, entraram aqui como uma improvável mistura de siri com Toddy por causa da repórter. Ela me procurou, já faz bastante tempo, para uma matéria sobre o Dia Internacional da Mulher. Já estou acostumada com isso e respondo meio no piloto automático: essa é uma data em que, de alguma forma, sempre sou lembrada para falar sobre o meu, o dela, o nosso gênero. Ia eu, portanto, seguindo pela estrada costumeira, quando me dei conta de que não, ela não queria falar sobre meu trabalho, e sim sobre minha faixa etária.

Tomei um susto, pois ainda não me tinha caído a ficha de que ao ultrapassar a singela marca dos sessenta, além dos benefícios da meia-entrada, recebemos o bônus de ser considerados cidadãos (ou cidadãs) de terceira idade. Levei uns trinta segundos para me refazer, ao fim dos quais, depois de explicar à minha entrevistadora que não se fazem mais velhos como antigamente, disse a ela mais ou menos o seguinte:

Cara repórter: sei que o que você quer ouvir de mim se refere a tudo o que no momento não me interessa. Sei também que o motivo de você me procurar para esta alentada entrevista é o fato de eu ter entrado, assim, de um dia para o outro, em idade provecta, ainda usando camiseta, jeans e tênis. Você quer saber meus truques de beleza, meus segredos de sobrevivência, quer que eu sirva de exemplo para outras senhoras na mesma faixa etária. Acho que não vai dar, desculpe. Você me pergunta como me sinto depois de ter chegado a esta altura da vida. E eu lhe afirmo, com toda sinceridade: não faço a mínima ideia. Não faço mesmo, e isso não é uma frase de efeito. Está aí um assunto que ainda não me tinha passado pela cabeça. Como me sinto? Deixa eu pensar um pouco. Um pouco mais esperta, possivelmente.

Somos tão bobinhas na juventude. Mas posso garantir que me sinto mais capaz do que nunca quando o assunto é o meu trabalho. O que sei hoje sobre o meu ofício, não sabia há cinquenta, quarenta, trinta ou mesmo vinte anos. Cada dia que passa é um dia em que conheço um pouco mais de mim mesma e redesenho meu lugar no mundo. Se estou mais ou menos feliz com isso, é outra questão. Uns dias estou, em outros quero fugir voando para uma praia do Caribe e arrumar um emprego de *crooner* num bar de hotel. Sério.

E o amor, você pergunta? Ah, *l'amour! Oui, bien sûr,* é muito bom, é bom demais, mas você não quer saber sobre amor, confesse. Amor, aqui na entrevista, é assim uma espécie de nome artístico para sexo, certo? Pode dizer logo. Você não usa a palavra porque acha que vai me escandalizar, mas foi você quem ficou chocada ao saber que eu durmo com o mesmo homem há décadas e ainda acho ótimo. Aliás, se durmo é justamente porque ainda acho ótimo. Parece estranho? Pois é, eu avisei. Não se fazem mais velhos como antigamente. A velha maluca é doida, a velha maluca já viu coisas demais... ∾

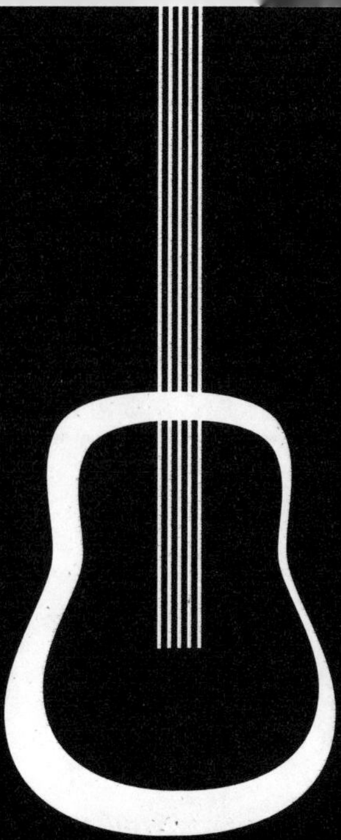

TUDO

Tudo é alegria
Tudo é fantasia
Tudo é ventania
Tudo é ilusão

Tudo tem seu preço
Tudo é só o começo
Tudo tem o avesso
Tudo tem perdão

Tudo tem resposta
Tudo é uma proposta
Tudo é o que se gosta
Tudo é opção

Tudo tem saudade
Tudo é novidade
Tudo tem verdade
Tudo tem razão

Tudo é relativo
Tudo tem motivo
Tudo é coletivo
E tudo é solidão

Tudo é poesia
Tudo é melodia
Tudo é harmonia _
tudo é uma canção

JOYCE MORENO

AGRADECIMENTOS

A todos os que incentivaram a publicação deste livro, desde sua primeira encarnação, em 1997, até hoje.

Hermínio Bello de Carvalho
Nelson Motta
Gustavo Barbosa
Marta Strauch (*in memoriam*)

Adriana Maciel e Marina Mendes (Numa Editora)
Ney Valle e Cláudia Gamboa (Dupla Design)
Flávia Souza Lima
Leo Aversa
Lizzie Bravo
Renato Vieira
Marcelo Fróes
Toninho Horta

A todos os que aparecem neste livro – e aos que não aparecem, mas fazem parte mesmo assim.

2020 © Numa Editora
2020 © Joyce Moreno

**Aquelas coisas todas.
Música Encontros Ideias**

FOTO CONTRACAPA
Leo Aversa

EDIÇÃO
Adriana Maciel

PRODUÇÃO EDITORIAL
Marina Mendes

PROJETO GRÁFICO
Dupla Design

REVISÃO
Vanessa Ribeiro

CRÉDITOS FOTOGRÁFICOS
Acervo do MIS (p. 153 - baixo)
Arquivo pessoal (p. 1, 150, 151, 152, 153, 155, 158, 159, 164, 165, 167)
Arquivo (p.154, p. 156, p. 157)
Leo Aversa (p. 151 - direita)
Lizzie Bravo (p. 160/161, 162, 163, 166, 167 - direita, 352)

M843

Moreno, Joyce

Aquelas coisas todas: música encontros ideias / Joyce Moreno – Rio de Janeiro: Numa, 2020.

352 p., il.; 13 X 18 cm

ISBN 978-65-87249-21-6

1. Crônicas brasileiras. 2. Música popular brasileira. 3. Joyce Moreno (1948 -). I. Moreno, Joyce. II. Título.

Índice para catálogo sistemático
I. Crônica brasileira : Música popular brasileira

Elaborada por Bibliotecária Janaina Ramos – CRB-8/9166

* A Numa Editora agradece a colaboração de todas e todos os artistas que disponibilizaram suas imagens nas fotos do livro. E também a Flavia Souza Lima, sem a qual esse livro não chegaria até nós.

PÁGINA SEGUINTE

RIO-BAHIA: TUTTY MORENO E SUA NAMORADA CARIOCA.